UN MATIN POUR LA VIE

ET AUTRES MUSIQUES DE SCÈNES

Née en 1935 à Cajarc dans le Lot, Françoise Sagan grandit à Paris puis passe les années d'Occupation entre Lyon et le Dauphiné où son père dirige des usines. Elle revient à Paris après la guerre, où elle poursuit ses études. C'est après son deuxième bachot qu'elle s'inscrit en propédeutique à la Sorbonne ; c'est pendant cet été de bachotage que nous pensons qu'elle a achevé le manuscrit de *Bonjour Tristesse*. Le roman est publié et connaît dès sa sortie un succès fulgurant. Elle a dix-huit ans. Elle fait la connaissance du Tout-Paris littéraire et artistique et voyage. En 1956, son deuxième roman, *Un certain sourire*, confirme sa présence d'écrivain ; le livre est également un succès. On décrit Françoise Sagan comme ayant adopté un style de vie qui fait scandale et cela contribue à une image qu'elle ne pourra plus quitter : alcool, casinos, boîtes de nuit et voitures de sport. Victime en 1957 d'un très grave accident de voiture, elle est soignée au Palfium 875 dont elle restera dépendante de très nombreuses années après. Elle a publié une trentaine de romans, dont des recueils de nouvelles, une dizaine de pièces de théâtre (notamment *Un château en Suède*), et participé à l'écriture de scénarios. En 1985, le prix Monaco récompense l'ensemble de son œuvre. Ruinée et gravement malade, elle meurt le 24 septembre 2004 à quelques kilomètres de sa maison de Honfleur.

Paru dans Le Livre de Poche :

BONJOUR NEW YORK *et autres récits*

LE CHIEN COUCHANT

DES BLEUS À L'ÂME

DES YEUX DE SOIE

LA FEMME FARDÉE

LE LIT DÉFAIT

LA PETITE ROBE NOIRE *et autres textes*

THÉÂTRE

TOXIQUE

UN ORAGE IMMOBILE

UN PEU DE SOLEIL DANS L'EAU FROIDE

UN PROFIL PERDU

FRANÇOISE SAGAN

Un matin pour la vie

et autres musiques de scènes

NOUVELLES

STOCK

ISBN : 978-2-253-15684-0 – 1re publication LGF

Un matin pour la vie[1]

Je m'appelle Nicole Montagné, mais tout le monde m'appelle Delphine. C'est le nom que je me suis choisi. Je travaille à *Vues*, un grand hebdomadaire féminin, dans la section actualités. J'ai vingt-cinq ans, et ce qu'on nomme un physique agréable. De plus, je sais « m'arranger ». De ce côté-là, pas de soucis. Ni complexes, ni frigidité. Un salaire très suffisant, une santé vigoureuse, des parents charmants. Célibataire. Je n'ai failli me marier qu'une fois : avec Jean-Loup. Il travaillait aussi à *Vues*. Il est mort stupidement dans un stupide accident d'avion. J'étais bien avec lui, un peu trop près pour la morale. Mais à notre époque... Bref, le jour de sa mort, j'ai eu un grand chagrin d'amour, j'ai voulu me tuer. Je pleurais tellement et j'étais si fatiguée que j'aurais presque pu y arriver. Et puis les amis sont venus : ils avaient peur que je fasse « une bêtise ». C'est ce qu'on dit aussi dans ces cas-là. Il y a deux ans. De

1. *Un matin pour la vie* a paru dans *Elle* en juin 1962.

temps en temps, quand on m'en parle (par gaffe), je prends l'air lointain. Mais sa photo est devenue bien pâle sur ma table de chevet.

Je n'ai pas d'opinion politique bien précise. J'ai celle de Marc, plutôt à gauche. Marc travaille aussi à *Vues*, il ressemble à Gérald Norton dans *France-Soir*. C'est plus ou moins mon fiancé. Enfin, les gens disent souvent : « Vous deux, depuis le temps, vous finirez par vous marier. » Lui aussi, moi aussi. Je détesterais le perdre.

Il est très dur de parler de soi. Je ne m'en rendais pas compte. Après tout, je n'ai pas une vie morne, ni étouffée. Je gagne ma vie dans une ambiance plus que drôle, j'ai un garçon qui m'aime, un grand amour mort derrière moi, de bons amis. Je trouve la vie très agréable, et, je l'ai dit, si on parle politique devant moi, je me défends : c'est-à-dire que mes parents me trouvent de gauche, les amis de Marc de droite, et qu'en général je me borne à déplorer les exactions de part et d'autre et à dire que les hommes ne se rendent pas compte du prix du sang. Que c'est nous, les femmes, qui faisons les enfants, etc. C'est d'ailleurs mon seul côté féministe. Autrement, comme les gens de mon âge, je ne dis pas : « Nous les femmes, vous les hommes. » Personne n'y pense plus. Ni n'en parle plus. Et je n'aime pas inventer des trucs fumeux. J'aime bien être dans le coup, et, comme j'ai l'humeur gaie et que je comprends vite, ce n'est pas difficile... Dieu merci, je n'ai plus quatorze ans.

Aussi je n'écrirai rien sur moi.

J'ai été réveillée par le téléphone, tôt. C'était Gladys. Elle travaille aussi au journal. J'ai attrapé le téléphone en geignant, d'abord parce que je le croyais coupé (crise financière, paresse, etc.), ensuite parce que j'avais vu la montre en prenant le récepteur : « 9 heures du matin, un dimanche ! » Et puis, le téléphone est sur la table, entre la photo de Jean-Loup et celle de Marc, et chaque fois ça me gêne. Stupidement, j'ai l'impression de tromper quelqu'un, mais qui ? Jean-Loup, Marc ou moi-même ? En même temps, j'ai remarqué que ma tenue n° 2, celle chanélisante, que j'avais mise hier soir, avait glissé de ma chaise. Bref, un mauvais réveil.

Gladys pleurait au téléphone. Elle sanglotait. J'ai senti quelque chose d'impalpable me glisser entre les omoplates : la peur, l'horreur. Une seconde, je n'ai pas voulu savoir. Mais vraiment pas voulu. Et puis, j'ai dit : « Gladys, calme-toi », et elle m'a tout dit : la guerre était déclarée, la guerre atomique. Le journal était fermé, les communications coupées, c'était la fin. Inutile que je ramasse ma tenue n° 2. Dans une heure arriverait le premier missile. San Francisco avait disparu de la carte et Leningrad. Elle voulait me dire « Au revoir ». Je l'ai crue folle une minute. Puis j'ai pensé à Pierre, l'ami de Marc, celui qui était si laid et parlait toujours de notre inconscience. J'ai dit : « C'est pas vrai, c'est pas vrai », machinalement, puis j'ai entendu une sorte de hoquet et un déclic. La ligne était coupée cette fois pour de bon. Là, c'était le moment ! Ce n'était pas parce que j'avais négligé une note, dans ces circonstances... et puis j'ai pensé que ce devait être général. À vrai dire, je n'étais pas très réveillée. Je me suis demandé vaguement de quoi devait avoir l'air un missile. Je voyais ça comme une soucoupe. Et puis j'ai eu peur, brutalement, et je me suis enfouie dans mes draps. Ce n'était pas possible. Il fallait se renseigner. J'ai mis la main sur le récepteur puis je me suis souvenue. Plus rien. Je n'avais pas de radio. Marc dit que c'est abrutissant. J'ai été à la fenêtre. Silence, désert. Déjà. Il faut dire qu'elle donne sur une cour. Mais pas la moindre concierge. Pas le moindre locataire. Personne. Il fallait... il fallait que je m'habille, que je coure chez ma mère, que je lui demande de me protéger... Elle disait toujours que les engins atomiques étaient comme les gaz en 1914, qu'on n'oserait pas les utiliser. Et moi qui aimais jouer les Cassandre à table, je disais... Mais ma mère habitait Issy-les-Moulineaux... Combien de temps à pied alors qu'il fallait une heure en métro... Et dans une heure, le missile...

J'ai commencé à pleurer. Toute seule, en chemise de nuit, dans le demi-noir. Il y avait des soirs bien sûr où je parlais de la mort comme d'une vieille relation, avec détachement, avec les amis, surtout après minuit. Mais la mort, à 9 heures du matin... juste réveillée... Marc habitait Passy, c'était le même problème. Et puis, je n'avais pas envie de mourir dans ses bras, je m'en rendais compte avec horreur. Vivre avec lui, oui, mourir non. « Plutôt mourir avec toi que mourir avec », non, « plutôt mourir avec toi que vivre sans toi ». J'avais retrouvé ma citation, ça m'a un peu soulagée, je me suis assise au bord du lit. L'idée que je serai un vague tas de cendres très vite m'a effleurée. J'ai mis ma bouche sur ma main, j'ai senti les pulsations de mon sang, tout m'a paru absurde. Grotesque. J'ai murmuré, je crois, des mots malsonnants à l'adresse de J. F. Kennedy que je trouve plutôt bel homme en général et de Khrouchtchev qui est, paraît-il, bourré d'humour (dixit Marc). J'ai essayé d'imaginer San Francisco vide comme dans *Sur la plage,* mais comme je n'y ai jamais été, c'était bien facile. Ou trop difficile. Et Paris... ma ville. La colère m'a reprise. Inconsciemment j'essayais de maintenir cette colère, de la faire durer : je ne pouvais pas m'écrouler sur mon lit et hurler... Ça ne se fait pas. Si encore j'avais eu un testament à faire avec des phrases nobles et tout... mais qui le lirait... qui ? Peut-être un berger des Cévennes, tout tordu... découvrant un jour les ruines de cette vieille cité : Paris. Instinctivement, j'ai refermé ma robe de chambre : j'ai visité Pompéi, un jour, et rien ne m'a abattue comme l'inélégance de certaines positions. Là-dessus, je suis passée dans la salle de bains et j'ai tiré mes cheveux, froidement, en arrière. (De même, je sais que nulle dépression ne résiste à un bon shampooing, ça semble stupide mais c'est ainsi), et puis je ne sais pas, je trouvais ça assez élégant. « Ah, nous allons tous mourir ? tut-tut, laissez-moi me recoiffer. »

Des séries de petites pensées irrésistibles me passaient par la tête. Des bêtises. Il devait y avoir quelque chose d'affolé en moi qui détraquait toute initiative. Et en même temps je me disais qu'il était urgent de réfléchir, moi qui ai toujours trouvé la réflexion assez... je ne dirais pas secondaire, mais en tout cas « remplaçable » sur le moment. Il fallait que je réfléchisse. J'allais mourir. Mes parents allaient mourir, mes amis mourir, mes relations mourir. C'était grave. Et une petite voix en moi sifflait que j'avais oublié de me racheter une brosse en crins durs. L'enfer, quoi, déchaîné dans ma tête. L'incohérence. L'incohérence... Je me suis aperçue que je me murmurais ce mot avec satisfaction, car c'était le mot juste. Le bon mot. Dieu sait pourtant que ce n'était pas le moment de me féliciter de mon vocabulaire, mais je ne pouvais pas m'en empêcher. Comme dit ma mère : « Ma fille est née une plume à la main. » J'ai pensé au livre que je voulais écrire un jour, dont j'avais le plan... ce n'aurait vraiment pas été la peine. Tout détruit, en une seconde... C'était inimaginable... Et pourtant, déjà Leningrad n'existait plus. Les champs, les rivières autour, les maisons en bois, les isbas, tout cela s'était volatilisé. Comme San Francisco et bientôt Paris. Paris où s'étaient promenés Louis XIV, Napoléon et les autres. Combien de pas dans ces rues... J'avais les larmes aux yeux, je me mordais la lèvre. Je pensais au monde. En même temps, je me suis rendu compte que j'avais ramassé ma tenue n° 4 et que je l'avais mise sur un cintre. Cela m'a mise hors de moi une seconde, je me suis détestée.

Quelle heure était-il ? Cette pensée a subitement remplacé toutes les autres dans mon esprit. Quelle heure était-il ? Combien de temps me restait-il ? J'ai renversé la photo des garçons au passage – je dois dire que c'était le moindre de mes soucis – et j'ai attrapé ma pendulette. 9 h 20. Vingt minutes... J'avais perdu vingt minutes, dont cinq à me coiffer et mettre mes affaires en ordre. Je me suis remise à pleurer à gros sanglots cette fois, et salement. Je n'allais quand même pas passer cinq minutes à me chercher un mouchoir. La plaisanterie avait assez duré. Mais quelle plaisanterie ? Je me suis surprise à murmurer : « Mon Dieu, protégez-nous », moi qui suis athée depuis Jean-Loup. Si j'avais pu prier... mais c'eût été malhonnête. On ne se raccroche pas aux gens, comme ça, au dernier moment, après les avoir « snobés » cinq ans. Cette idée m'a remise un peu d'aplomb. Il fallait mourir dignement. C'était tout. Ma mère habitait trop loin, le téléphone et le métro étaient coupés, et ma Dauphine au garage de Marc. J'étais seule, j'allais mourir seule. Les sanglots m'ont un peu reprise à cette image de moi-même, j'ai dit : « Non, je ne veux pas, non je ne veux pas », à voix haute ; bref j'ai frôlé la crise de nerfs, ce qui est, chez moi, tout à fait extravagant. Je me suis mouchée dans le drap et je me suis redressée. Une seconde j'ai pensé à me rendre chez Corinne qui habite tout près et possède une terrasse. Je me voyais déjà regardant arriver le missile, tranquillement, du fond de l'horizon. J'aimais assez. Et puis j'ai pensé que Corinne devait être avec son mari, ses deux enfants et que ce devait être affreux comme scène. Le mieux aurait été bien sûr de me recoucher : ainsi je serais morte dans mon lit comme on dit, avec dix mille immeubles effondrés autour. Cette idée m'a fait rire une seconde. Oui, rire.

Au fond, ce n'était pas une si mauvaise idée : j'ai branché le pick-up, et me suis allongée. Du Wagner ? Bien entendu, pas dans la bonne pochette, mais néanmoins l'ouverture de *Lohengrin*, toute neuve. Je ne sais plus qui me l'avait donné. Un jour, il faudrait que je range mes disques... Cette phrase, si souvent prononcée, devenait cruelle, amère, déchirante... Je retrouvais d'un coup cette science des adjectifs qui fait mon succès au journal... Bref, j'ai écouté un bout de *Lohengrin*, en essayant de ne pas bouger. C'était bien ennuyeux. Je regardais les veines sur ma main, qui battaient, qui battaient... À ce moment-là, on a frappé à la porte. J'ai cru que c'était Marc une seconde, c'est le genre à faire trois kilomètres à pied en courant sans s'essouffler. Non. C'était Antoinette et Pierre (celui qui est si laid). Ils m'ont regardée bizarrement. J'ai souri, tristement.

— Qu'est-ce qu'il a, ton téléphone ? a dit Antoinette.

— Il est coupé, ai-je dit ; bien entendu. Ça fait deux mois que je ne l'ai pas payé.

Cette question me paraissait triviale. Il était après tout 10 h 15.

— Je le savais, a-t-elle dit à Pierre. Elle ne nous a pas crus, bien sûr. Tout Paris sait que c'est le 1er avril. Ce n'était pas la peine de cavaler jusqu'ici.

Je l'ai regardée, puis Pierre. J'ai compris comment on pouvait tuer, une seconde. J'ai compris Shakespeare et Wagner et plein de trucs. Mais je me suis ressaisie très vite.

— Vos plaisanteries sont un peu matinales, ai-je dit.

Je me suis détournée sous prétexte de faire du thé. Dans la cuisine, j'ai d'abord embrassé la théière. Puis le mur.

Histoire d'août[1]

Les fourmis mécaniques, les fourmis à essence qui, pendant onze mois, cernaient chaque trottoir et chaque quai de la ville de leur étreinte continue, les fourmis automobiles étaient parties, avec leur conducteur et leur famille vers des mers ou des prés d'un vert très distinct. Les avenues, les ciels, les découvertes de Paris se montraient à l'œil autrement que coincés entre les capots et les coffres de deux voitures voisines : Paris était beau. Et à force d'y traîner les pieds sur les trottoirs brûlants et d'y hésiter entre deux terrasses de café, Rémi Pelletier aurait pu se croire ramené à son adolescence, étudiant : si quinze années de travail et d'affaires, plus dix de mariage n'avaient rendu pour lui cette adolescence semblable à une planche de Larousse, à l'une de ces descriptions plates, stérilisées et stylisées de la jeunesse dont débordaient les magazines. Rémi ne se rappelait pas avoir été jeune et encore moins avoir été cou-

1. *Histoire d'août* a paru dans *VSD*.

reur ; l'amour avait été pour lui à quinze ans un besoin incoercible et honteux, à dix-sept, une illusion trompeuse, à vingt-deux, une réalité agréable, et enfin, l'amour était devenu un visage, celui de sa femme Catherine, comme d'habitude en août dans le Midi avec leurs deux enfants.

Depuis longtemps d'ailleurs pour Rémi, depuis très longtemps, l'excitation et le bonheur se trouvaient réunis non pas dans une chambre close, mais au contraire dans un stade ouvert à tous vents ; et il connaissait mieux les prénoms des footballeurs du Racing que ceux de ses ex-conquêtes, les sentiments les plus violents qu'il éprouvait ayant lieu pendant un match de football. Dans le domaine de la sensualité, Catherine, sa femme, avait plus souffert que lui de ce que la chambre des enfants fût contiguë à la leur. C'était presque par devoir qu'il prenait deux jours pendant ce mois d'août où elle l'abandonnait seul à Paris, des airs désinvoltes et mystérieux. Pour rien ! Les jeunes touristes lui semblaient trop jeunes et il ne voyait pas de femmes de son âge à qui il pût proposer sa grande carcasse un peu fripée par la quarantaine, sans en avoir honte. Non, Rémi allait rentrer chez lui ce soir-là comme les autres, se faire un œuf au plat, donner un coup de poing à l'oreiller, un coup de poing sur les draps et s'allonger tranquillement seul, la télévision braquée sur lui. Cela s'appelait les vacances et cela lui plaisait assez.

Le seul obstacle au bien-être de Rémi ce soir-là était représenté dans le creux de sa main par trois boutons en bois ou en nacre, soit 1) un bouton de sa veste d'été, 2) un bouton de la manche de sa chemise, 3) un bouton de son pantalon. Ah ! où était passée son aimable concierge remplacée à présent par un code, irretenable de surcroît ? Est-ce que ces six chiffres – est-ce que ces 3, 2, 3, 4, A, B et quelque chose – allaient lui recoudre ses boutons à lui, Rémi ? Non, décidément le progrès se détournait de plus en plus de l'être humain. Et Rémi bougonnait, car enfin, en attendant que la retoucheuse soit rentrée (comme le promettait la pancarte sur sa boutique), il allait passer une semaine le col dégrafé et l'air peu soigné sous l'œil de son chef de bureau. Non que ce dernier fût maniaque, ou que Rémi le craignît le moins du monde, mais il avait accepté de travailler dans une maison où l'on était tiré à quatre épingles, il l'avait accepté et considérait qu'il devait tenir ses engagements. Son débraillé à venir lui déplaisait comme une fausse note, plus, comme une faute tout court. Bien sûr il aurait pu faire comme ses collègues, et demander ce service à Michel Mathieu, le chargé des graphiques, ce vieux jeune homme trop blond qui vivait avec sa mère et dont ses collègues contestaient toute l'année la virilité. Mais on ne pouvait pas, pensait Rémi dans sa bonne foi, on ne pouvait pas se payer la tête de quelqu'un pendant onze mois et lui demander de faire la cousette le douzième, ce n'était pas honnête, et bien que lui-même ne se fût pas moqué de Mathieu il n'oserait pour rien au monde lui demander le secours de son aiguille.

Aussi eut-il d'abord l'impression d'une bonne aubaine lorsqu'il aperçut sortant de l'épicerie en face, leur amie et voisine de palier Olga Parchy. Mais que faisait donc Olga Parchy à cette heure-ci, ce jour-là, dans Paris ? C'était une petite femme pétulante, brune et vive, avec une voix d'oiseau, des gestes d'oiseau et une tête d'oiseau, pour Rémi, mais qui était la meilleure amie de Catherine (enfin, une des six meilleures amies de Catherine : car sa femme n'avait que des meilleures amies, que des pires coiffeurs, que de féroces chauffeurs de taxi, que les plus ceci, que les plus cela... bref, sa femme était une excessive). Olga, elle, voyait (et le disait sans cesse), Olga voyait la vie comme une gigantesque partie de poker, ce qui faisait rêver Rémi. Le mari d'Olga, Jean-Jacques Parchy, ne ressemblait pas plus à un joueur de poker que lui-même, Rémi, à un parachutiste. Enfin, comme le disait Catherine, « si Olga avait l'impression de tirer un flush royal en faisant ses soldes, cela la regardait » car Catherine pouvait être assez drôle, parfois, quand elle ne dormait pas : mais il semblait à Rémi qu'elle s'endormait de plus en plus souvent, qu'il vivait près d'une endormie et d'une endormie sans rêves, hélas... Car lui-même était assez sujet à la rêverie et il eût aimé la partager.

« Olga ! » dit-il, se retournant d'un bond, comme d'habitude ; Olga le reconnut et leva les bras dans un geste dramatique, qui eut pour premier effet de lâcher des cabas, lesquels glissèrent par terre et s'ouvrirent. Un flot indistinct de victuailles, de bouteilles et d'objets pratiques en jaillirent sur le trottoir. « Rémi ! cria-t-elle d'une voix de stentor qui fit rougir Rémi jusqu'aux cheveux. Rémi lui-même ! Mon Dieu, dans cette île déserte un naufragé : Rémi, Rémi Pelletier !... » Déjà Rémi était à côté d'elle, s'agenouillait et l'aidait à remettre ses provisions dans ses sacs en marmonnant : « Voyons, quel plaisir de vous voir, et Jean-Jacques, et les enfants ? et gnian-gnian-gnian-gnian-gnian-gnian. » Au passage il sentit du doigt, dans une enveloppe, les contours d'une pelote de fil, ce qui acheva de l'enthousiasmer : Olga était la proie idéale. L'inviterait-il à dîner pour cela ? Il s'imagina soudain convenablement vêtu et lui fit un sourire comme il ne lui en avait jamais adressé ; Olga resta pensive un instant, l'air étonné, puis elle repartit dans son discours habituel où émergeaient les mots : enfants, mari, le Pyla, oncle Bernard, testament, notaire, un coup de train, aller-retour, etc., etc. Rémi se rendit compte avec étonnement et un peu de gêne qu'il n'avait jamais entendu ce que disait Olga. Depuis cinq ans qu'ils se connaissaient, il ne l'avait jamais écoutée, ce qui était une chose, mais non plus jamais entendue, ce qui en était une autre. Or Olga n'arrêtait pas de parler ; et comme il n'avait jamais pu, même au début, lui prêter attention, il se retrouvait incapable de dire si elle aimait le cinéma ou la lecture, si elle était heureuse ou malheureuse, si elle était catholique ou protestante ou…

En se relevant et en se chargeant instinctivement de l'un de ses cabas trop lourds, il fit un violent effort pour réunir, comme il le put, les quelques mots qu'il avait retenus de son babil. « Non ? dit-il. Alors cet héritage, euh, c'est bien, non ! Enfin, pauvre oncle Bernard, vous aimiez beaucoup votre oncle, je crois », et l'œil compatissant, il fit de la main un petit geste discret mais définitif vers sa propre gorge qui représentait ses adieux à l'oncle Bernard. Mais Olga sursautait : « Oncle Bernard ! Mais non, voyons ! Rémi comme vous y allez. Oncle Bernard se porte très, très bien, vous pensez ! Il a quatre-vingt-treize ans… » « Ce n'est pas une sauvegarde », dit Rémi plaisamment. Mais une fois de plus il fut aspiré dans l'œil d'Olga, lui, sa personne et ses mots, une fois de plus il se rendait compte qu'il n'était plus que l'un des éléments mâles, familiers, inoffensifs de l'univers trépidant d'Olga. « Quatre-vingt-treize ans ! et vert comme un chêne ! *Fluctuat nec*… quelque chose », ajouta-t-elle avec plus d'entrain que de chance. « Non, c'est un cousin à lui qui est mort et qui a laissé son héritage à l'oncle Bernard et à Jean-Jacques. C'est pour ça que je suis venue ici à leur place voir le notaire. Vous ne m'avez pas suivie très bien, je crois, mon pauvre Rémi. » Pour une fois qu'il l'écoutait, qu'il essayait de l'écouter, il fallait qu'elle le plaigne, c'était bien le comble.

« Voyons, dit Rémi, je vais vous aider à remonter ces cabas, donnez-moi l'autre, c'est horriblement lourd. »

« Mais non, mais non, laissez, laissez », dit-elle en lui mettant carrément le second cabas dans les bras. Titubant sous la charge, il la suivit dans l'escalier et entra dans l'appartement, de la même taille que le leur, où elle habitait avec son mari, l'aimable, délicieux et pétillant Jean-Jacques Parchy.

« Entrez, dit-elle, entrez ! Mon Dieu, comme vous êtes grand, je ne me rendais pas compte, je vous vois toujours avec votre femme qui, elle, a ma taille et ça vous rapetisse. Mon Dieu, que vous êtes grand, vous devez être normand, non ? Si, si, vous êtes sûrement normand. Asseyez-vous, Rémi. Il doit me rester un petit verre de bière quelque part, ou un whisky, bien sûr. » Elle s'agitait, elle papotait, elle courait dans tous les sens, elle enlevait une housse pour qu'il s'asseye puis la remettait pour que le fauteuil reste intact, elle courait dans tous les azimuts, elle tournait autour de lui, elle le tuait. Elle finit par dénicher du whisky au fond d'une bouteille poussiéreuse et le lui servit sans glace. Elle s'en servit aussi. Puis elle alla s'asseoir en face de lui. Elle avait embelli, pensa Rémi distraitement, elle était bronzée, elle avait grossi, elle avait les yeux verts, finalement, et ce teint hâlé, cet air de liberté dans cette robe vaguement indienne lui allaient fort bien. Elle avait moins l'air d'un oiseau et plus l'air d'une petite chèvre. Ses cheveux étaient beaux aussi, coupés court comme ça et bouclés ; elle ressemblait à une actrice, il ne savait plus laquelle.

« Et vous, mon pauvre Rémi, comment vous débrouillez-vous à Paris tout seul ? Ce n'est pas trop dur pour un célibataire ? » dit-elle en riant.

Et Rémi se sentit soudain sur la piste.

« Ah ! dit-il, ce n'est pas drôle tous les jours ! Figurez-vous que… » Mais déjà elle le coupait : « J'imagine, votre maison doit être un carnage, un véritable chantier, j'irai faire un tour avant de partir : je dois bien ça à Catherine. Vous vous rappelez quand j'ai eu mon appendicite la dernière fois, bla-bla… » Et elle était repartie : elle était juste opérée de l'appendicite, elle était encore à l'hôpital, elle saluait les internes, elle faisait rire le chirurgien chef, elle provoquait l'admiration des autres malades. Saoulé de chaleur, de whisky et de ce bruit, Rémi avait rejeté la tête en arrière, et profita d'un créneau dans la conversation pour se lancer à nouveau.

« Comment faites-vous, ma petite Olga, pour porter ces énormes cabas, c'est incroyable ! Tout à l'heure, en le soulevant, j'ai dû faire un tel effort que j'ai cassé le bouton de ma veste, vous vous rendez compte ? » Et déjà il glissait sa main dans sa poche. Mais Olga avait enchaîné aussitôt.

« Comment, trop lourds ? Mais figurez-vous que votre femme et moi, nous portons ça tous les jours, mon bon ami ! Nous nous faisons des muscles, nous, les ménagères ! Vous n'êtes que des petits malheureux chétifs à côté de nous. Si c'est lourd, c'est que là-dedans j'ai de quoi nourrir toute une petite famille pour trois jours, c'est tout. Car les enfants vont arriver... » et bla-bla... et c'était à nouveau en marche. Il remit la main dans sa poche avec le bouton. Il attendrait une autre occasion.

Une heure plus tard, sentant qu'il n'arriverait à rien avant quelques autres dialogues, il se décida à inviter Olga à dîner. Elle accepta avec des petites moues subites, des rougeurs insoupçonnées, des battements de mains, de cils, toute une panoplie et une pantomime qui étonnèrent plus Rémi qu'elles ne l'effrayèrent. Il se croyait en sécurité partout, et là, surtout, dans un appartement pareil au sien avec une femme qu'il connaissait depuis cinq ans et dont le mari allait avec lui au parc des Princes.

Malgré ses prières, Olga qui sentait sur elle toute la poussière du train et qui avait décidé de se faire belle pour ce petit dîner d'« impromptus » comme elle le disait, Olga alla donc se changer et lui enjoignit d'en faire autant. Rémi grommelant traversa les paliers et rentra dans ses appartements. Du moins, pensait-il en mettant son second costume, du moins pourrait-il exposer sa chemise avec le bouton manquant à la hauteur du plexus, elle ne pourrait pas ne pas le voir : et donc s'en occuper. C'était le dernier espoir de Rémi car plus il y pensait, plus cette invitation à dîner lui paraissait proprement épouvantable.

Le restaurant *Guigo* chez lequel ils allaient en général tous les quatre, les jours où les femmes avaient la flemme de cuisiner, le restaurant *Guigo* était fermé pour le mois d'août. Ils restèrent un instant abasourdis, désemparés tant ils s'étaient tous les deux imaginés assis à la même table que d'habitude. Puis Olga prit la tête des opérations. Elle avait mis une robe blanche en toile, un peu décolletée qui lui allait fort bien, et les hommes dans la rue se retournaient sur elle, ce qui donnait un étrange sentiment de fierté à Rémi Pelletier. Lui-même se trouvait un peu pâle mais pas trop vilain dans son costume de shantung et de rayonne bleu-gris, et les cris d'admiration d'Olga auraient suffi à rassurer n'importe quel chevalier servant. Malheureusement la réaction qu'elle eut devant sa chemise bâillant sur son torse ne fut pas du tout celle qu'escomptait Rémi.

« Mon Dieu, s'écria-t-elle, ah ! mon Dieu, mais vous êtes poilu ! Mais c'est incroyable ! Qui l'eût dit ? Vous qui avez l'air si doux ! »

Et Rémi, pantois, s'apprêtait à lui demander quelle incompatibilité elle voyait entre un système pileux développé et la douceur de caractère, quand elle brandit son index à la hauteur de son visage : « Ah ! dit-elle, vous cachez bien votre jeu, vous les blonds, hein ? L'air ailleurs... Et puis ! Enfin, enfin, dit-elle, enfin Catherine a bien de la chance, croyez-moi », et elle eut un rire de tête qui acheva de décontenancer son voisin.

« Changeons de quartier pour une fois », dit-elle d'un air décidé et farouche qui inquiéta vaguement Rémi. Vous avez votre voiture, avait-elle dit d'un ton péremptoire, eh bien, nous allons au *Croissant d'or.* » « Au *Croissant d'or,* avait dit Rémi, qu'est-ce que c'est ? Ma voiture est au parking. » « Eh bien, allez la chercher, dit Olga impérative décidément. Je vous attends ici, je vais consulter le plan de Paris, je sais que c'est rue Fenouil. Vous allez voir ce que vous allez voir. » Toujours grognon, Rémi alla prendre sa voiture puis, au passage, la belle Olga, puisqu'il commençait à l'appeler ainsi dans sa tête et fut conduit par elle jusqu'au *Croissant d'or* qui se révéla une boîte russe où deux malheureux Tziganes transpiraient à grosses gouttes sous leurs costumes à brandebourgs et sur leurs violons. Mais ils jouaient assez bien, ma foi, des romances russes sentimentales et désespérées ; quelques vodkas achevèrent de dérider Rémi et achevèrent de lui faire considérer Olga avec des yeux plus concupiscents que coquets. Bref, ils se retrouvèrent en train de s'embrasser à bouche que veux-tu dans la 204 devant leur immeuble.

Une fois rentrés il se produisit une espèce de course-relais assez vaudevillesque d'un appartement à l'autre. Dans la chambre de Rémi, Olga ne voulait pas coucher dans le même lit que sa meilleure amie, dans celle de Jean-Jacques elle voulait respecter le lit de son mari : ce qui finit par les faire échouer dans le salon, dans le salon de Rémi, sur le canapé qui, se révélant trop petit, les fit rouler sur le parquet et permit à Olga de le traiter de grand fou, d'une voix pâmée. Grand fou ou pas grand fou, il finit par l'entraîner dans la chambre de Catherine et deux heures plus tard s'endormit à côté d'elle, satisfait mais un peu inquiet, a posteriori : car Olga était une femme passionnée avec de longs ongles et Rémi avait l'impression d'avoir roulé dans un buisson d'orties.

Olga tenta bien de le réveiller deux ou trois fois pendant la nuit mais en vain. Rémi était un gros dormeur et une fois atténué le feu des pinçons et des morsures dont son corps était couvert, fatigué par cette animation inhabituelle, il était tombé dans un sommeil semblable à la catalepsie. Ce n'est qu'à l'aube qu'elle obtint de lui un œil vitreux ; mais quand elle lui demanda d'une voix théâtrale : « Qu'avons-nous fait, Rémi, qu'avons-nous fait ? », il jeta un regard tellement étonné d'abord sur elle puis autour de lui, autour d'eux, un regard si expressif qu'elle n'insista pas et le laissa retomber dans les bras de Morphée sans plus insister. Elle-même n'y succomba qu'à l'aube et c'est une femme endormie que Rémi baisa au front avant de partir au grand trot vers son bureau. Il y arriva en courant, en retard, mi-amusé mi-penaud, et le regard que jeta M. Constantin vers sa chemise défaite lui apparut soudain d'une importance tout à fait secondaire. Ce n'est qu'à midi qu'il se rappela tout à coup qu'Olga devait repartir cet après-midi même dans son Pyla natal et retrouver sa famille. Qu'elle n'avait pas son téléphone au bureau.

En rentrant chez lui vers 9 heures, Rémi Pelletier trouva l'appartement impeccablement rangé et, sur le lit, son veston et ses deux chemises qui l'attendaient, toutes leurs boutonnières convenablement occupées ; une enveloppe trônait sur l'oreiller et la lettre qu'il en extirpa sentait le parfum : « Mon chéri, disait-elle, il faut oublier ! Ou en tout cas, il faut tenter d'oublier, il le faut (elle l'avait souligné deux ou trois fois). J'ai rempli mon devoir envers toi, l'un est jaune comme tes cheveux, l'autre bleu comme tes yeux, l'autre rose comme tes lèvres. Adieu, non, non... au revoir. » C'était signé Olga. Pris d'un pressentiment, Rémi retourna ses chemises et regarda ses nouveaux boutons : ils étaient cousus, effectivement, l'un de fil blanc, l'autre de fil rose et l'autre de fil bleu pâle. Pensant à la réaction qu'aurait, fatalement, un jour sa femme, Rémi Pelletier fut obligé de les découdre, mélancoliquement et difficilement. Mais après tout, il eût été amoral que ses désordres lui donnent l'air d'un homme rangé.

Un vrai macho[1]

Elle était allongée à plat ventre dans le sable, le bras sous sa joue, les yeux clos, le dos brûlant. À 5 heures du soir, aux Tropiques, le soleil est encore très fort.

« C'est drôle, disait la voix de Sylvie Bronier, dite Sylvie Néron à la télévision, c'est drôle de voir nos deux hommes sortir ensemble de la mer, on dirait deux prototypes, à contre-jour. Il y a ton Lucas, le bon Latin, trapu, costaud et puis mon Fabien, mon Slave, si longiligne. Ton époux sérieux et mon fol amant. Mais regarde-les, c'est amusant ! »

Anne Donan, née Perray, n'avait pas besoin de lever la tête pour imaginer les deux hommes et leurs différences, et Sylvie n'avait pas besoin de préciser ses préférences. Depuis qu'elles s'étaient retrouvées sur cette plage par hasard, depuis qu'Anne, éblouie, avait retrouvé son amie de collège devenue une des vedettes de la télévision,

1. *Un vrai macho* a paru dans *Playboy* en octobre 1985.

grâce à son émission si drolatique du samedi soir, et depuis que Sylvie s'était jetée à son cou avec une affection et un plaisir charmants, depuis environ deux semaines, c'était tous les jours qu'elle retrouvait à nouveau la vie, la vraie vie, le sel de la vie, égarée depuis vingt mois de mariage avec le paisible Lucas Donan. Depuis quinze jours, Anne se rendait compte qu'elle ne vivait que sur des conventions, qu'elle appelait amour des habitudes, et bonheur, ou calme intérieur, le vide et l'ennui. Bien sûr, Sylvie n'avait pas dit un seul mot contre Lucas, elle était trop délicate pour cela, mais il était évident qu'elle était déçue par la vie de son ex-meilleure amie.

« Tu étais si romanesque et si indépendante », avait-elle juste murmuré un soir comme à elle-même, à mi-voix. Et c'était vrai, car Anne n'était plus ni passionnée, ni libre. « Et puis, avait aussi demandé Sylvie, une autre fois, d'une voix affectueuse où on sentait, malgré elle, un terrible mépris, et puis tu comptes avoir deux ou trois enfants, et Lucas compte faire fortune, c'est ça ? », avait-elle demandé et Anne n'avait rien pu répondre. Elle avait honte. Elle n'avait pas honte de Lucas, bien sûr, en lui-même ; Lucas n'aurait pu faire honte à personne, tant il était calme, poli, et tant d'ailleurs il était taciturne. Mais elle avait honte de s'être satisfaite si longtemps, deux ans déjà, de ce plat bonheur. Et quand elle voyait le farfelu, le séduisant Fabien, l'amant de son amie, se fâcher avec elle – avec Sylvie – ou la prendre amoureusement dans ses bras, sans pudeur ni fausse honte, quand elle voyait alors Lucas détourner la tête, avec gêne, elle ne pouvait s'empêcher de lui en vouloir, de cette gêne. La vraie vie, le vrai amour étaient là, dans ce couple exposé à leurs yeux, ce couple intense, agité, tempétueux. Ah, non ! ni Fabien, ni Sylvie ne vivaient d'habitudes ni de conventions ni de confort.

Bien sûr, bien sûr, Lucas lui plaisait encore et bien sûr Anne l'avait aimé, vraiment. Mais elle ne pouvait s'empêcher de mettre ce verbe aimer à l'imparfait. Pourrait-elle vivre sans Lucas ? Mais l'idée de Lucas la quittant était tellement folle qu'elle ne pouvait même pas l'envisager un instant. Lucas l'avait rencontrée, aimée et épousée et maintenant il vivait avec elle, satisfait et content, puisqu'elle vivait selon la vie qu'il leur avait faite à tous deux. Une vie qu'elle avait acceptée d'ailleurs dans sa docilité aveugle, dans son respect instinctif de la volonté masculine, dans son confort nuisible et dans sa mollesse. Mais elle n'avait que vingt-sept ans après tout. À vingt-sept ans, était-il déjà trop tard pour rencontrer un Fabien, un homme qui ait l'air d'un hasard et non pas d'une habitude ? Ces deux mots qui commençaient par un H comme le terme de hache mais dont un seul vous eut coupé la tête et le destin : le second, l'habitude.

« Qu'est-ce qu'il a encore inventé ? » disait la voix railleuse et amusée de Sylvie.

Et malgré elle, Anne leva la tête. Un enfant avait laissé échapper son ballon devant les deux hommes et Fabien s'amusait à jouer avec, à faire des passes d'un pied à l'autre pendant que l'enfant hurlant, congestionné et sanglotant essayait de le lui reprendre. Au bout de quelques instants, Fabien envoya le ballon à Lucas qui, d'un coup de pied sec, le renvoya à l'enfant. Et les deux hommes reprirent leur marche comme si rien ne s'était passé.

« Vraiment, vraiment, il ne pense à faire que des bêtises », dit Sylvie en reposant sa tête sur le sable, ses yeux rieurs tournés vers Anne. « Heureusement que ton Lucas est là pour remettre de l'ordre. »

Elle souriait en disant cela, elle souriait devant ce petit jeu, cette petite séquence si exemplaire, si significative du caractère de ces deux hommes. Et Anne lui rendit son sourire faiblement avant de refermer les yeux. Un poids tomba dans le sable à côté d'elle, une main se posa sur son dos brûlant ; elle reconnut aussitôt sans bouger le contact de la main de Lucas et son corps, malgré elle, s'alanguit un instant sous cette grande paume dont elle connaissait chaque callosité, chaque détail presque par cœur. Elle leva la tête, rencontra le visage bronzé, les yeux bruns, marron, les yeux de chien cocker de son époux, Lucas Donan, et elle eut honte, une seconde, devant ces yeux tranquilles. Elle se rappelait le regard qu'il lui avait lancé, le jour où elle avait dit « oui » devant ce maire affreux, dans cette petite mairie grotesque d'arrondissement de Paris, elle se rappelait le vertige et la confiance qu'il y avait eu dans les yeux de Lucas posés sur elle, et elle eut l'impression tout à coup d'une énorme trahison.

Pendant ce temps, Fabien s'était lui aussi agenouillé devant sa maîtresse ; il avait plongé ses cheveux soyeux, ses cheveux dorés, ses cheveux de femme dans le cou de celle-ci, lui mordillait l'épaule. Sylvie riait un peu fort, de son grand rire de cavalière ; et de sa voix rauque, elle insultait tendrement son beau Fabien :

« Fiche-moi la paix, Fabien, veux-tu ? Retourne à la mer. Pourquoi as-tu embêté ce pauvre enfant ? Heureusement que Lucas veille sur toi, maintenant... Lucas, vous êtes un vrai père pour ce cornichon ! Je suis tellement plus rassurée de le savoir gardé par vous, vous ne pouvez pas savoir comme ça arrange mes vacances. »

Et elle riait, et Lucas lui jetait un regard incertain. Il ne l'aimait pas, il ne les aimait pas, d'ailleurs. Il ne l'avait pas dit à Anne qui, néanmoins, l'avait vu dès le premier coup d'œil. Mais Lucas, jamais, ne lui dirait que ses amis lui déplaisaient. Il était trop gentil pour ça, il aurait peur de lui faire de la peine. Par moments, pourtant, elle lui avait vu un regard préoccupé en les observant, un regard un peu dur qu'elle ne lui connaissait pas et qui l'avait vaguement surprise. C'est que Lucas n'avait pas le même sens de l'humour, ni le même sens des plaisanteries, et qu'il n'aimait pas tellement que l'on racontât des choses sur des gens qu'il ne connaissait pas, même si leur nom lui était familier. Et, bien entendu, Sylvie et Fabien connaissaient tant de gens à Paris, des gens qu'Anne eût rêvé de connaître, et dont elle ne se lassait pas d'entendre raconter les extravagances, riant malgré elle aux termes un peu osés dont Fabien ne se privait pas, malgré les réprimandes de Sylvie.

« Alors, qu'est-ce qu'on fait ? » disait Fabien, de nouveau debout sur ses pieds, toujours impatient. Il ne se calmait qu'avec sa guitare, le soir ; il restait assis sur sa terrasse, à en tirer des sons mélancoliques et à y jouer toujours la même chanson, un peu lancinante – « barbante », disait d'ailleurs Lucas, qui se lassait de cette scie, comme il disait, dont il ne comprenait pas le côté poignant. Fabien jouait toujours la même chanson, donc, avec un air penché et une sorte de douceur sur son visage mobile, railleur, qui le rajeunissait encore.

« Tu fais le narcisse », criait alors Sylvie, avec une sorte de rancune ; mais il ne répondait pas, baissait un peu plus la tête, prenait une sorte de noblesse – trouvait Anne –, une sorte de pureté étonnante.

« Dites-lui, Lucas, dites-leur tout ! J'ai trouvé un bateau à louer et on va aller faire un petit tour sur la mer démontée », ajouta-t-il en tendant la paume vers cette mer parfaitement plate, où commençait à peine à tomber un soleil pas encore enflammé.

« Un bateau ? Sur un bateau comment ? Un bateau à voiles ? dit Sylvie inquiète. Et tu sais en faire, Fabien ?

« Naturellement, dit Fabien avec un air de surprise chagrinée, qui les fit rire. Naturellement, je sais faire du bateau, pour qui me prends-tu ? J'ai appris la voile, petit, avec un grand-oncle qui était marin à Brest et qui fumait sa pipe en me racontant des histoires de sorcières. Non, dit-il, ça n'est pas vrai, j'ai appris à faire de la voile, je ne sais plus où, au Pyla, je crois ; en tout cas, je sais barrer. Et avec Lucas, pour m'aider...

« Moi ? dit Lucas d'une voix faible. Moi, je ne sais absolument pas faire de la voile.

« Comment ? cria Sylvie. Comment, vous, un macho, ne pas savoir barrer, ne pas tenir le gouvernail ? Mais on aura tout vu ! Lucas, voyons ! Comment allez-vous faire, si vous ne conduisez pas vous-même ce petit bateau, comme vous conduisez votre petite voiture et comme vous voudrez sûrement conduire notre petit avion, au retour ! Hein, Lucas ? »

Elle riait, elle lui passait la main sur ses cheveux en brosse, bruns, courts, avec un air de dompteuse attendrie qui, contrairement au ravissement d'Anne, semblait provoquer l'exaspération de Lucas. Il tournait un peu la tête, il se dérobait à cette main familière, il marmonnait quelque chose entre ses dents.

« En tout cas, disait-il, en tout cas, moi je vous le dis bien, je ne sais absolument pas conduire un bateau. Je décline toute responsabilité. Et Anne non plus.

« Qu'en sais-tu ? » dit celle-ci, brusquement agacée, et il la regarda, étonné. Elle détourna les yeux, furieuse contre elle-même et furieuse aussi contre lui. De quel droit disait-il qu'elle ne savait pas barrer ni conduire un bateau ? De quel droit décidait-il qu'elle ne savait pas faire ceci ou faire cela ? L'avait-il connue depuis son enfance, n'imaginait-il pas qu'elle avait d'autres facultés, d'autres connaissances, d'autres possibilités que celles qu'il lui connaissait ? Était-elle à ce point une chose connue pour lui, une assurance, une certitude ?

« Mais, dit-il, tu sais faire du bateau ?

« Non, dit-elle sèchement, non. Non, mais j'aurais pu ; j'aurais pu le savoir. »

Sylvie les regardait, un petit sourire aux lèvres.

« Vous n'imaginez pas, mon cher Lucas, le nombre de choses inconnues que sait faire une femme et qu'elle ne dit jamais à son époux ! Vous en seriez ébahi… »

Et comme il la regardait durement, elle se leva d'un bond sur ses pieds. « Allez, allez les enfants, à l'eau ! Allons faire du bateau, puisque Fabien l'a décidé. Allons naviguer et regarder les poissons par-dessus leur tête. En route. J'espère que ce n'est pas un trop gros bateau, on n'aura pas à manœuvrer des filins ? J'ai horreur de ça ! »

Elle était grande et belle, un peu efflanquée mais élégante, et Anne se sentait plus petite, plus dodue, plus misérable que jamais. Elle était à peu près du même gabarit que Lucas, en fait, celui des Français moyens, plutôt grands, plutôt vigoureux, plutôt sains. Mais sans rien de ce côté félin, de ce côté efflanqué et gracieux qui caractérisait les deux amants qui marchaient là, devant eux, en se donnant des coups d'épaule comme des enfants : les grands enfants qu'ils étaient restés – eux.

La main de Lucas chercha sa main et elle la lui abandonna par paresse, par distraction, les larmes aux yeux sans savoir pourquoi. Comme Sylvie marchait vite, Lucas la tirait, à présent, par cette main et elle obéissait, elle le suivait, passive, accélérant son pas malgré elle. Oui, il était bien le macho, l'homme qui la tenait par la main et il n'avait pas fini de la tenir, de la tirer et de l'emmener où il voudrait, même contre son gré à elle. Son gré à elle n'existait plus, elle était madame Donan, point final. Il n'y avait plus d'Anne, il n'y avait plus d'Anne Perrey, il n'y avait plus de collégienne romanesque, il n'y avait plus de femme aventureuse, il n'y avait plus rien. Plus rien que ce soleil qui déclinait lentement sur la mer et lui piquait les yeux, bêtement, comme à une écolière.

Le bateau en question était une sorte de petit voilier, ridiculement petit sembla-t-il à Anne, et dont le propriétaire se trouvait être un grand Noir qui riait beaucoup et qu'on voyait parfois rôder entre les bungalows. Il semblait toujours jouer une comédie raciste :

« Toi faire attention à mon bateau, disait-il à Fabien d'une voix aiguë. Toi faire très attention à mon bateau, toi aller droit sur la mer, toi revenir très vite, attention au vent, toi faire attention. Moi tenir à mon bateau.

« Mais oui, mais oui, ne t'inquiète pas, mon pote, je te le ramènerai ton bateau, disait Fabien d'une voix assurée, en rigolant et en regardant Lucas d'un air complice. Ne t'inquiète pas, mon pote, je te le ramène, ton bateau. Tu dois être assuré, comme je te connais, d'ailleurs, tout le monde est assuré ici, sur tout, j'ai remarqué », disait-il à la cantonade. Et il se mettait à l'eau, poussait cette petite embarcation sur la mer plate, d'un air décidé et tranquille, qui rassura apparemment tout à fait Sylvie.

Ils montèrent comme ils purent, en glissant et en se cognant. Le Noir tenait la proue – ou la poupe, Anne l'ignorait – de l'engin et leur donna une solide poussée pendant que le vent gonflait la voile et que le bateau faisait un vrai bond en avant, inattendu, comme un cheval de course ; et, à la grande stupeur et au grand ravissement des deux femmes, filait sur la mer. Lucas tenait un filin que lui avait tendu d'un air impératif l'inimitable Fabien et, la première surprise passée, les quatre riaient de bon cœur. Il y avait un léger vent, en effet, un bon vent qui faisait mousser l'écume contre le bateau avec un léger sifflement des plus délicieux. Un vent qui balayait leurs cheveux sur leurs visages et avait au passage, très gentiment, séché les légères larmes des yeux d'Anne.

Fabien avait l'air enchanté, il tenait la barre, ses cheveux étaient ramenés sur son visage ou rejetés en arrière par ce vent inattendu, et cela lui donnait un air de pirate ; un air une fois de plus romantique, qu'il devinait lui-même, et qu'il accentuait encore par son menton levé, ses yeux plissés, toute une mimique de hardi marin qui donnait à la fois à Anne envie de rire et envie de l'embrasser. Sylvie aussi le regardait avec fierté, comme un enfant prodige (et il était vrai qu'il avait quelques années de moins qu'elle, même s'ils n'en parlaient jamais ni l'un ni l'autre). Ou plutôt, se disait Anne, si Sylvie elle-même n'en parlait jamais, Fabien, comme malgré lui, avait laissé échapper quelques gaffes là-dessus, qui avaient visiblement exaspéré Sylvie. D'ailleurs Fabien avait un métier puéril, aussi, semblait-il : il était quelque chose comme Relations publiques dans le cinéma ou dans le théâtre, Anne ne savait plus, car tout ça était très embrouillé ; mais il semblait que son métier consistât à plaire aux gens, à mettre en contact des gens qui se plussent entre eux. C'est tout ce qu'elle était arrivée à en comprendre. Lucas, consulté, avait haussé les épaules et marmonné quelque chose d'où ressortait le mot « jean-foutre » qu'elle n'avait pas voulu entendre.

En attendant, c'était un hardi marin, ce Fabien ! Le bateau allait de plus en plus vite et il demanda à Lucas, d'une voix impérative, de serrer un peu la voile pour qu'ils ralentissent. Lucas obéit, tira, et effectivement la voile se resserra contre le mât et la vitesse diminua. Fabien était visiblement enchanté de sa maîtrise parfaite de la mer. Laissant les deux hommes à leurs manœuvres maritimes, les deux femmes s'étaient réfugiées à l'avant du bateau ; Sylvie passa tout à coup le bras autour du cou d'Anne :

« Ma chérie, dit-elle, tu avais l'air fâché tout à l'heure – elle criait presque à cause du vent –, tu avais l'air fâché tout à l'heure quand j'ai traité ton époux de macho ! C'est pour ça ? Tu sais, mon chou, il en faut des machos pour faire un monde solide, tu comprends ? Ce n'était pas désagréable de ma part… »

« Bien sûr que non, ça n'était pas désagréable, songeait Anne, ça n'était pas désagréable mais c'était humiliant, affreusement humiliant, voilà ! » Elle ouvrait la bouche pour répondre gentiment à son amie, quand la voix de Fabien leur parvint :

« Penchez-vous, les filles, criait-il, penchez-vous, on va tourner maintenant. »

Il avait une voix rauque qui surprit Anne, elle se retourna en se baissant pour l'apercevoir et c'est ainsi que, seule, Sylvie reçut la claque de la voile qui balaya brusquement le pont de gauche à droite et la projeta à la mer. Elle tomba d'un coup, sans un cri, dans l'eau et Anne, horrifiée, la vit se débattre avant de reparaître, Dieu merci, presque tout de suite, battant des pieds et des mains, riant, mais jaune.

« Affale, affale », criait Fabien qui avait lui-même entrepris la voile. Il s'adressait, semblait-il, des ordres contradictoires, puisque le bateau glissa encore un long moment et que la tête de Sylvie s'éloigna encore un peu.

Enfin, ils étaient au milieu de la mer, immobilisés, et Dieu merci, Sylvie était bonne nageuse, elle aurait vite fait de les rejoindre, songea Anne soulagée. Elle l'avait crue perdue un instant, assommée par ce bois et prête à se noyer. Quelle horreur ! songeait-elle, quelle bêtise que ces histoires de bateau ! Lucas avait eu raison, finalement, tout à l'heure, de prendre son œil mauvais et son air rétif.

« Holà ! criait Fabien à Sylvie, holà, courage, on revient ! » Il retirait sur ses ficelles, le bateau tanguait un peu et semblait repartir lentement, très lentement cette fois-ci, vers sa victime. Ils devaient être environ à deux cents mètres d'elle, lorsque soudain Lucas fit un bond au même moment où Sylvie se mettait à hurler. Et Anne vit alors le pire de ce qu'elle avait jamais vu au cours de sa vie, elle vit une chose noire, une sorte d'arête noire, comme une espèce de lame noire et rapide, suivie d'une autre, qui glissaient lentement de la droite et qui allaient couper leur route, sur l'eau, se dirigeant droit dans la direction de Sylvie : ce qui s'appelait, elle le sut tout de suite, des requins. Deux de ces fameux requins dont on leur avait parlé souvent, distraitement, et auxquels ils n'avaient jamais cru. Sylvie, Dieu sait comment, les avait vus et elle hurlait à présent, d'un hurlement ininterrompu, inhumain et atroce. Les deux hommes s'étaient mis debout en même temps qu'Anne ; ils regardaient hébétés, stupéfaits, cette attaque incroyable qu'ils n'avaient vue qu'au cinéma, qu'ils n'imaginaient même pas possible dans la vie réelle, dans un voyage touristique, lequel, moyennant une somme relativement modique, en tout cas pour Lucas et Anne, leur assurait quinze jours de repos et de plaisir dans un farniente tropical. Non, ces requins n'allaient pas avec des charters ni avec rien d'autre, ces requins étaient à la fois irréels et cruellement évidents de réalité.

« Plus vite, plus vite », jura Lucas sourdement dans la direction de Fabien. Celui-ci, blême, se débattait avec la barre mais ce n'est qu'avec l'aide de Lucas qu'il arriva à remettre la voile debout et accélérer leur allure. Ils allaient vite maintenant, mais les requins allaient arriver avant eux, c'était évident. Et tout à coup, à sa grande horreur, Anne vit Sylvie disparaître dans la mer plate, reparaître, elle vit son visage convulsé par la terreur et elle comprit que son amie se noyait, se laissait couler de terreur, qu'elle était incapable de bouger, qu'elle n'allait même pas nager vers eux malgré les injonctions de Fabien qui hurlait du fond du bateau, tenant sa barre d'une main et sa corde de l'autre, Fabien absolument impuissant et qui hurlait :

« Nage, nage, dépêche-toi, nage ! » Mais Sylvie coulait. Seule sa tête affolée, défigurée par la terreur, sa tête avec les traits figés et horrifiés, dans une seule et unique grimace, replongeait, redisparaissait et revenait à la surface. Ils la regardaient, ahuris, tandis qu'elle poussait ce long hurlement :

« Au secours, au secouououours ! » dont le « ououours » n'arrêtait pas. Puis elle se mit à crier : « Fabien, Fabien, Fabien... » On entendait « Fa... », le reste se perdait dans l'eau et on entendait « ien »... après, à la surface. C'était une horreur, une horreur vivante.

« Mais, dit Lucas regardant Fabien, mais... » – et Anne, regardant Fabien à son tour, vit qu'il était pâle comme la mort, qu'il tremblait, que, lâchant la barre et la corde, il s'était affalé au fond du bateau, qu'il se tenait la tête, les mains sur les oreilles pour ne plus entendre ce cri et qu'il était incapable de faire autre chose. Anne vit avec horreur cet homme rompre avec lui-même, rompre avec sa maîtresse, rompre avec tout, et c'est avec un soulagement mêlé d'horreur qu'elle entendit le bruit sec du ventre de son mari se jetant à la mer.

Le reste se passa à la fois au ralenti et en accéléré : Anne figée, immobile, pétrifiée, vit les deux requins passer paisiblement derrière Sylvie, toujours ballottée par les eaux, elle vit les bras de Lucas crawler à toute vitesse vers elle, se lever et ressortir de l'eau, se lever et ressortir de l'eau.

Elle vit Lucas prendre Sylvie par le cou et la ramener en nageant et en soufflant, en rejetant de l'eau de tous les côtés dans un infernal bruit et un infernal silence à la fois, la ramener jusqu'au bateau. Elle se vit se pencher, hisser Sylvie suffoquée, elle se vit la réchauffer, elle se vit mettre une couverture autour d'elle. Et elle se sentit aussi, plus tard, serrer Lucas dans ses bras, et lui embrasser le visage, le cou, le torse, comme elle n'aurait jamais pensé qu'une femme normale puisse embrasser un macho, un vrai macho…

Menu[1]

Les cocktails

— ... Nous devrions boire quelque chose, dit Paméla d'une voix plaintive. Vous n'êtes pas spécialement gais, ce soir, tous les trois.

Ils étaient assis à la terrasse du *Gritti*. Venise était noire et verte et belle, ils étaient beaux eux-mêmes : Gilles et Paméla Mendle, Anna et André Bassen. Tous les quatre entre la trentaine et la quarantaine. Mais ils n'étaient pas gais. Et seule Paméla demandait de l'être.

Paméla était blonde et insouciante et absolument pas bête, contrairement à l'opinion publique. Les gens ne voulaient simplement pas croire qu'une intelligence puisse être à ce point inemployée. Celle de Paméla était assez fine pour percevoir que quelque chose, ce soir-là, n'allait pas. Mais elle ne pouvait pas savoir que son propre mari, le très brun et très séduisant Gilles, était

1. *Menu* a paru dans la *Revue de Paris* en 1955.

depuis six mois l'amant de son amie Anna, et qu'il avait annoncé la veille à cette dernière son intention de rompre. Elle ne savait pas non plus qu'Anna le prenait très mal, qu'André Bassen était au courant depuis deux mois et qu'il devait à cette connaissance son sourire amer et certains silences. En fait, Paméla était à Venise en voyage avec son mari et de charmants amis. Et Gilles la regardait avec une certaine tendresse et reconnaissance. Cette légèreté, ce bonheur de vivre superficiel mais profond de sa femme, à la fois, le changeait enfin d'Anna, et des orages de sa passion.

— Nous avons déjà bu hier excessivement, ma chère Paméla, dit André. Nous allons laisser nos foies à Venise.

Il jeta un coup d'œil inquiet à sa femme : Anna était silencieuse et pâle. Extrêmement pâle. Quelque chose avait dû casser entre Gilles et elle. Peut-être, avec beaucoup de patience et de douceur, pourrait-il... Une espèce de pitié remplaçait chez André la haine du début, une pitié tendre... si tendre.

— Buvons quand même un dry, dit Gilles.

Il en avait besoin. La dernière explication avec Anna avait été plus que pénible. « Je ne te permettrai pas de me quitter. » Elle le fatiguait. Il jeta un coup d'œil au beau visage décomposé et se sentit mal à l'aise.

— C'est une bonne idée, dit Anna.

Elle referma les mains sur son sac, sentit le petit contact dur sous ses doigts et son cœur bascula un peu. Ce petit revolver noir et brillant, assoupi dans son sac, comme un animal familier. Tout à l'heure, il se réveillerait, jaillirait au bout de sa main comme un serpent ; Paméla aurait l'air prodigieusement étonnée, André essayerait de l'arrêter, et Gilles serait défiguré un instant par la peur. Puis il tomberait lourdement à travers la table. Elle aurait peut-être le temps, avant la ruée de la foule, de relever ce très beau visage, de regarder couler le sang de ce très beau corps. Elle se sentit remplie subitement d'un immense amour pour Gilles mort.

— Buvons donc un dry, dit-elle impérieusement.

— Je compte goûter le canard vénitienne, dit Paméla. J'espère qu'on ne les élève pas sur le canal. André, jurez-moi, vous qui savez tout, que ce sont des vrais canards d'eau douce.

— Je le jure, dit André.

— André jurerait n'importe quoi, dit Gilles, et il éclata de rire. Personne n'est plus ignorant que lui.

« Et toi, pensa Anna très vite, toi qui me jurais que tu m'aimais, que tu m'aimerais toujours. Tes serments, tes rires, tes mains... »

Elle baissa les yeux vers les mains de Gilles. Elles étaient larges et longues, un peu trapues. Bien moins belles que celles d'André. Mais elles lui étaient nécessaires. Ces mains-là, et aucunes autres. Elle savait depuis deux mois qu'il y avait, dans sa passion pour Gilles, quelque chose d'irrémédiable. Elle qui n'avait jamais pris l'amour très au sérieux. C'était peut-être d'ailleurs là le motif de ce cauchemar. Toujours jouer, choisir, abréger ; et un jour, constater qu'il vous est impossible de vivre sans un autre être, ou qu'il vive avec une autre, et qu'il faut qu'il meure pour que le jour devienne supportable.

Elle prit son verre, le vida. Paméla riait. Anna la regarda un instant, et la vit brusquement en noir. Elle serait ravissante. Pauvre Paméla… si irresponsable. Anna l'avait tellement haïe. Surtout quand elle regagnait sa chambre avec Gilles : Anna, debout dans le hall, près d'André, les regardait monter l'escalier en riant. Paméla était la femme de Gilles, il vivait avec elle, se réveillait près d'elle. Oui, elle l'avait bien haïe. Mais maintenant, elle la regardait si blonde, si insouciante et ses yeux se remplirent de larmes.

— Je propose que nous passions à table, dit Gilles. Je meurs de faim.

« Il avait faim aussi après l'amour, pensa Anna. Il est peut-être normal qu'il ait faim après les ruptures. Mais s'il savait ce qui l'attend à table… » Elle se mit à rire et se dit qu'elle devenait peut-être folle en ce moment. Paméla lui jeta un coup d'œil étonné, puis se mit à rire aussi d'un air complice. Dès que quelqu'un riait, sans raison apparente, Paméla riait aussi de confiance. Anna se leva et, son sac sous le bras, fit une entrée fort remarquée dans la salle à manger.

Les hors-d'œuvre

— Que prenez-vous ? dit Gilles d'un air attentif.

Il s'essayait déjà au rôle de bon ami qu'il lui avait proposé l'avant-veille. Elle le voyait déjà : « Cette chère Anna. » Et dans quelques années, lui envoyant parfois des coups d'œil attendris : « Chère Anna, quand on pense... » Et en fait, c'était bien ainsi que cela se passait généralement. Seulement, manque de chance pour ce pauvre Gilles, elle l'aimait. Elle l'aimait passionnément. Elle se rappela leur première nuit, à l'hôtel du quai Voltaire, la voix altérée de Gilles, ses épaules dorées dans la lumière. Elle ferma les yeux un instant. Ce n'était pas le moment de pleurer.

— Anna va prendre un pamplemousse comme d'habitude, dit Paméla. Et moi une terrine.

L'appétit formidable de Paméla faisait toujours leur étonnement :

— Une terrine, le soir ? dit Gilles, indigné.

— Mais mon chéri, il n'y a pas d'ail, dit Paméla innocemment. Qu'est-ce que ça peut te faire ?

André éclata de rire. Gilles lança un coup d'œil furtif à Anna. Elle avait les yeux fermés, à demi, et un curieux sourire sur les lèvres. Un sourire immobile et un peu effrayant. Elle semblait penser à autre chose et être à la fois odieusement sensible et présente. « Pourvu qu'elle ne fasse pas de scène », pensa Gilles subitement. Mais ce n'était pas le genre d'Anna. Pas en public. Elle était bien trop soucieuse de l'opinion d'autrui. Bien trop snob pour dire à quelqu'un d'autre qu'elle était amoureuse de lui. Il eut un petit mouvement de vanité satisfaite qui lui fit redresser les épaules. Anna le regarda fixement et reprit son sourire. Elle allait le tuer. Elle savait à présent qu'elle allait le tuer. Deux balles ou trois. Pour ce sourire cruel et pour tous les sourires tendres et passés. Pour ces nuits d'amour et ces jours de complicité. Pour cette dernière nuit de larmes. Pour de mauvaises raisons et une très bonne.

— Allons pour le pamplemousse, dit André. Que pensez-vous, Gilles ?

Anna dessinait des ronds sur la nappe avec son couteau. Le même que celui dans lequel elle tournait depuis deux jours comme une bête malade. Elle lâcha son couteau pour le pamplemousse. Il avait un drôle de goût, elle aimait ça. « A-t-on des pamplemousses en prison ? » C'était sûrement le dernier qu'elle mangerait. Elle se sentit subitement pleine de tendresse, d'affection, pour sa vie passée, pour les pamplemousses, pour les robes habillées, pour les voyages, pour tout ce qui n'avait plus de goût, pour André. L'avait-il entendue pleurer cette nuit ? Elle lui jeta un coup d'œil mais il ne la regardait pas. Il parlait à Paméla. Il avait toujours eu un faible pour la brave Paméla.

Comme disait Gilles, cyniquement, au début : « On pourait s'arranger très bien. » Seulement, ça ne s'était pas arrangé du tout. Mais pas du tout.

— Ce que j'aime en Venise..., disait André.

Mais elle ne l'écoutait pas. Pourtant, en général, elle l'écoutait. André avait beaucoup de goût, c'est très agréable d'avoir un mari de bon goût. Seulement sa phrase lui en avait rappelé d'autres, chuchotées et criées à la fois : « Ce que j'aime en toi, disait Gilles, ce que j'aime... » Une rougeur subite la rajeunit. Était-ce possible, était-ce le même être, cette sorte de bel animal suppliant, à sa merci, et cet homme tranquille et méfiant, cet étranger ?

— Gilles ! dit-elle tout haut.

Seul André broncha à son intonation. Il eut un mouvement du poignet vers elle. Puis sa main se rabattit sur la nappe. Gilles avait détourné la tête et Paméla ne semblait pas l'avoir entendue. « Je parle tout haut, pensa Anna, quelle était cette voix ? » Elle se mit à penser à des détails matériels. Comment ferait-elle pour sortir le revolver du sac avant qu'ils ne le voient ? Ils devenaient brusquement des flics, des étrangers, des espions. Ces êtres qu'elle avait aimés, leur chaleur, tout cela brusquement hostile, d'un autre monde. Elle était seule, c'était horrible.

— Ce qu'il y a de merveilleux, disait Paméla, c'est Gilles en gondole. Il se lève, il s'asseoit, il est mal à l'aise comme un chat. Il se sent en danger, c'est trop drôle.

Anna avait rêvé, avant leur départ, de ces gondoles. Gilles l'aimait encore, ils avaient projeté mille fuites, mille échappatoires. Elle lui avait dit : « En gondole avec toi... tu me fais faire des rêves de pensionnaire. » Dans son esprit, l'eau était vert et noir, elle y laissait filer sa main que celle de Gilles repêchait comme une algue étrange. Sa main sentait la vase, la mort, les vieilles pierres, Gilles disait qu'il aimait cette odeur fade, ses yeux s'incendiaient. Mais en fait, les gondoles étaient trop hautes au-dessus de l'eau, la main n'y parvenait pas. Et Gilles n'était pas dans la même gondole.

Le plat du jour

— Que pensez-vous de ce canard ? dit Paméla. N'ai-je pas de bonnes idées ?

— Vous n'avez que de bonnes idées, dit André. Ce canard est extraordinaire. Nous ne fermerons pas l'œil de cette nuit, mais tant pis.

« Vous ne fermerez sûrement pas l'œil, pensa Anna avec un petit rire intérieur. La police doit se déplacer en canot automobile avec des sirènes. Quelle idée absurde ! Où suis-je ? Ils auront des ennuis de passeports extravagants. Et comment ramèneront-ils le corps de Gilles à Paris ? » Pour elle, c'était simple. L'administration, la justice se chargeaient d'elle, tout était si bien organisé, elle n'avait qu'à se laisser faire.

— Anna, ma chérie, goûte ce canard, dit André.

Il penchait vers elle un visage tendre, un peu défait. « Il souffre, pensa-t-elle, je vais le faire souffrir encore plus. » Quelque chose vacilla en elle.

— Je vais vous le couper, dit Gilles. Je connais parfaitement le squelette du canard.

Il prit son couteau, sa fourchette, et commença à couper son canard en souriant. Paméla souriait aussi, avec affection, et André avait posé sa main sur la sienne, un instant. Ils l'aimaient, ils avaient de l'affection pour elle. Et elle, pendant ce temps, projetait leur malheur à tous, les abusait. « Mais quel est ce cauchemar ? pensa-t-elle. Jamais je ne pourrai... » Elle soupira, se détendit tout à coup. C'était fini, elle renonçait, elle abandonnait, elle souffrirait encore un peu, André l'aiderait. Il était bon.

Elle le regarda et sourit un peu à son tour.

— Voilà, dit Gilles. Vous n'avez plus qu'à mâcher soigneusement à cause des os.

Il lui tendit son assiette en souriant. Elle le regarda un instant avec douceur. « Mon chéri, mon pauvre chéri, je renonce à toi, à ta mort, à notre amour. Mon pauvre amour, sois heureux. »

Le canard avait un drôle de goût.

— Finalement, ce doit être un canard de canal, dit-elle en souriant.

Paméla poussa une clameur d'effroi. Ils se mirent tous à rire. Anna se sentait faible et calme, elle avait hâte de remonter, de s'allonger près d'André, de lui demander son épaule comme un refuge. Elle était vieille et lasse, elle aurait voulu avoir des enfants. Pour la première fois. Quant au revolver... elle le jetterait dans le canal de sa fenêtre. « Joli geste, d'ailleurs. Combien de revolvers gisaient ainsi au fond du canal ? »

— Voilà enfin l'orchestre, dit Paméla enthousiaste.

Paméla allait esquisser, assise, toutes les danses, l'air un peu supplicié jusqu'au moment où André ou Gilles l'inviterait à danser. L'orchestre s'accordait.

Puis il commença à jouer. Une clarinette très étouffée esquissa l'air *I'm confessing*, le piano le suivit et Gilles détourna la tête.

Cet air, Anna l'avait dansé avec lui partout. C'était leur signe de ralliement. Ils l'avaient demandé à vingt orchestres, chantonné ensemble ; il était à eux. Dix souvenirs, dix soirées, revinrent brusquement à l'esprit d'Anna. Elle se renversa légèrement en arrière, sentit contre son dos le contact dur du revolver. Elle sut que ces deux minutes n'avaient été qu'une trêve, que tout cela était intolérable : Venise, les rires, la présence de Gilles, cet air. Qu'il fallait qu'elle agisse.

Le dessert

— Quatre cafés, dit Gilles.

— Paméla, dit André en souriant, voulez-vous danser ?

Paméla ne fit qu'un bond. Elle dansait très bien, ses cheveux blonds brillaient sous le lustre, Gilles sourit un peu. Puis il se retourna vers Anna d'un air contraint.

— Anna, veux-tu danser ?

— Non, dit-elle tout d'abord.

Puis elle pensa : « La dernière danse, cette musique... Soyons mélodramatiques jusqu'au bout. » Elle se leva, marcha vers la piste et se retourna vers Gilles, contre Gilles qui la prit dans ses bras. Son corps retrouva la place amie, les mouvements amis, sa main l'épaule dure, sa tête la tête chaude. Elle se sentit sombrer dans un désespoir sans limites.

— Le chanteur est excellent, dit Gilles d'une voix mesurée.

« Un chanteur ? Quelqu'un chantait ? »

I'm confessing that I love you.

Mais le temps des aveux était passé. D'ailleurs, Gilles n'était pas homme à avouer une passion mais à l'annoncer. Cet air qu'il avait eu chez les Revel, la première fois, en dansant :

— Anna, Anna, je crains d'être amoureux de vous.

Elle avait éclaté de rire :

— Quelle idée, mon cher Gilles.

Puis après un temps :

— Quelle bonne idée, d'ailleurs !

Il l'avait serrée dans ses bras et elle s'était dit : une nouvelle aventure. La joue de Gilles était brûlante, contre la sienne, le disque était ravissant, il s'appelait : *I'm confessing*. Une semaine après, elle avait retrouvé Gilles, quai Voltaire.

Cette clarinette était lancinante. Gilles ne disait pas un mot, se raidissait imperceptiblement. Il devait avoir peur qu'elle ne s'accroche. Elle fut envahie d'une bouffée de mépris violent, elle eut soudain envie du contact glacé et dur dans sa main, du bruit sec des détonations. Envie de violence.

— Allons nous asseoir. Cet air n'en finit pas.

Il la raccompagna, visiblement soulagé. André et Paméla les rejoignirent aussitôt. Anna se sentit déjà étrangère, les oreilles bourdonnantes.

— Je me sens en pleine forme, dit Paméla. Et André danse beaucoup mieux. Mes escarpins sont à peu près intacts.

— Ingrate ! dit André. Vous m'avez fait faire des pas extravagants. Ne vous étonnez pas...

Elle était à bout. Quelque chose se glaçait en elle peu à peu tandis qu'elle saisissait son sac, qu'elle l'ouvrait. Son sang lui martelait les tempes. Ses mains étaient précises et calmes. Quelque chose était déjà mort, son passé, sa vie, son enfance, tout était fini...

— Anna, cria André.

Paméla eut l'air prodigieusement étonné. Gilles fut un instant défiguré par la peur, elle tira et il s'écroula au travers de la table. Seulement il y eut aussitôt un remous terrible, des cris, des mains étrangères qui la tiraient en arrière et elle n'eut pas le temps de relever, de regarder une dernière fois le visage de son amour.

Musiques de scènes

La première édition de ce livre a paru en 1981
aux éditions Flammarion.

À mon ami Jean-Jacques Pauvert.

Le chat et le casino

Angela Di Stefano s'époumonait en vain à appeler son chat, le beau Filou, qui avait disparu depuis le matin dans les ruelles du vieux Nice. Il était 3 heures de l'après-midi et, bien que l'on fût en septembre, il faisait encore affreusement chaud. Ce n'était pas dans les habitudes de Filou d'oublier sa sieste et sa pâtée, quel que fût le charme des chattes avoisinantes, et Angela, qui lui était fort attachée, devenait de plus en plus inquiète. Son mari, Giuseppe, était parti jouer aux boules comme tous les samedis après-midi, et ses voisines faisaient la sieste, allongées sur leurs lits de cuivre, derrière des oriflammes multicolores de chemises et de chaussettes suspendues à leurs fenêtres. Angela n'osait pas crier trop fort, de peur de troubler leur sieste, et elle chuchotait « Filou, Filou » dans tous les porches en maintenant son châle sur sa tête à cause du soleil.

À trente-deux ans, Angela Di Stefano était une fort belle femme, très latine et très pulpeuse, mais à laquelle des ascendances corses avaient donné des traits fermés et austères parfois, qui auraient découragé les éventuels rivaux de Giuseppe. D'ailleurs, ce dernier le savait et il plaisantait parfois la vertu de sa femme d'une manière qui ne faisait pas rire Angela.

Elle ne trouvait pas Filou et pourtant il fallait qu'elle se rendît à la banque avant 4 heures déposer les cinq cents francs habituels, puisqu'ils avaient décidé d'acheter leur maison à crédit, mois par mois. Giuseppe lui avait remis sa paye la veille, en bon époux, et elle voulait se débarrasser au plus vite de ce billet si chèrement acquis. Elle crut voir un éclair, tout à coup, derrière un mur, un éclair gris, et s'exclama : « Filou ! » avant de pousser la porte du petit jardin qui bordait la maison de la belle Helena. La belle Helena était leur voisine depuis dix ans, et l'on avait beaucoup chuchoté à son sujet depuis son veuvage, mais sans nulle preuve. Angela, toujours sur la pointe des pieds, fit trois pas, aperçut Filou goguenard sur le rebord de la fenêtre, et elle l'appela à voix basse une fois ou deux avant de se décider à le rejoindre. Filou lui jeta un regard oblique de ses yeux verts et sauta dans la maison. Instinctivement Angela poussa un volet pour le rattraper et c'est ainsi qu'elle vit son beau Giuseppe endormi dans les bras d'Helena. Elle ressortit à reculons, le cœur battant, terrifiée à l'idée qu'il eût pu la voir.

Ce n'est que dans la rue, en marchant à grands pas, que sa surprise, son effroi se transformèrent en colère. Elle aurait dû le savoir, tout le quartier devait le savoir, même Filou le savait... C'était là que Giuseppe allait jouer aux boules certains samedis. Depuis combien de temps ? Elle allait rentrer chez sa mère, regagner son île, rejoindre des gens honnêtes. La trahison n'était pas une chose faite pour des femmes comme elle. Depuis dix ans, elle s'occupait de Giuseppe Di Stefano, de sa maison, de ses affaires, de sa nourriture et de son lit. Depuis dix ans, elle n'avait fait que lui obéir et tenter de lui plaire ; tout ça pour qu'il lui mentît, la nuit comme le jour, en pensant à une autre !

Elle se retrouva sur la promenade des Anglais, endroit où elle n'allait jamais, marchant du même pas décidé, comme si, arrivée à la mer, elle n'eût qu'à continuer pour la traverser à pied sec et retrouver la maison de ses parents. Un coup de sifflet l'empêcha de se faire écraser et, se retournant brusquement, elle vit qu'elle était devant ce grand bâtiment blanc nommé Casino – où les étrangers venaient, paraît-il, perdre leur fortune et où même les hommes de son quartier ne s'aventuraient que prudemment. Elle vit une femme blonde y pénétrer, une femme sensiblement plus âgée qu'elle, vêtue d'un pantalon de toile. Elle la vit rire avec le portier et disparaître dans la pénombre. Cette pénombre avait quelque chose de fascinant, de beige, de gris, par rapport à ce trottoir écrasé de soleil, et, machinalement, Angela monta les marches à son tour.

Elle était habillée sobrement, mais elle avait belle allure. Aussi est-ce sans plaisanter que le portier la guida vers la grande salle, et toujours sans plaisanter qu'après lui avoir demandé ses papiers un homme vêtu de noir et d'un nœud de cravate lui demanda combien de jetons elle voulait. Angela agissait comme dans un rêve et seuls les quelques films vus à la télévision lui indiquaient la marche à suivre : de sa vie elle n'avait risqué un franc au jeu ni essayé autre chose que la crapette.

Elle demanda donc cinq cents francs d'une voix posée, tendit le beau billet de Giuseppe et on lui remit en échange cinq petites choses rondes et ridicules qu'elle était visiblement censée aller poser sur la table verte, un peu plus loin. Quelques joueurs pensifs et fatigués par la chaleur l'entouraient déjà et elle put les regarder faire et s'instruire, pendant dix bonnes minutes, sans que personne ne fît attention à elle. Elle avait la main tellement serrée autour de ses jetons qu'elle sentait la sueur couler de sa paume et que, gênée, elle fit passer ces jetons dans la main gauche, s'essuya la droite et, profitant d'un silence total et de l'arrêt de cette petite boule, si agitée, elle prit un de ses brillants objets et le posa fermement sur le numéro 8. Elle s'était mariée en effet le 8 août à Nice, et elle habitait le 8, rue des Petites-Écuries.

« Rien ne va plus », dit l'homme indolent, habillé en costume du soir ; et il rejeta la bille qui se mit à tourner follement avant d'aller se loger avec grâce dans une encoche noire, trop loin d'Angela pour qu'elle en distinguât le numéro.

— Le numéro 8 ! cria l'homme d'une voix lasse. Le 8 : en plein ! ajouta-t-il après un coup d'œil vers la table.

Et il aligna une dizaine d'autres jetons, les posa, après un regard circulaire, devant Angela. Il lui indiqua en même temps un chiffre (qui lui parut astronomique) et la fixa d'un œil interrogateur :

— Le 8, répéta Angela d'une voix ferme.

Elle se sentait bien, la proie d'une sorte de fantôme, d'ombre inconnue, qui la téléguidait ; elle s'étonnait simplement de n'avoir plus devant les yeux l'image de Giuseppe endormi contre Helena. C'était la petite bille à présent qu'elle voyait : elle seule.

— Le maximum est de deux mille francs sur un numéro plein, dit le croupier, l'air surpris.

Elle hocha la tête sans répondre, sans comprendre, et le croupier disposa un tas de ses jetons sur le 8 et lui tendit les autres – qu'elle ramassa machinalement.

Les gens s'étaient approchés à présent et la regardaient avec une certaine curiosité. Ni son visage, ni sa mine, ni son attitude ne pouvaient laisser soupçonner en elle la folle qui venait de risquer deux mille francs sur un numéro simple au Casino d'été, à Nice, en septembre. Le croupier, après une seconde d'hésitation, cria : « Faites vos jeux ! » La dame en pantalon posa dix francs à côté du tas rutilant d'Angela, et la bille repartit. Après quelques bruits divers et discordants, elle s'arrêta. Et ce furent le silence, d'abord, l'espèce de rumeur choquée ensuite, qui ranimèrent Angela : car elle avait fermé les yeux (et sous le sommeil, semblaient avouer ses paupières lourdes, bien plus que le choc) !

— Le 8, dit le croupier d'une voix moins gaie, lui sembla-t-il...

Et, se tournant vers Angela qui était restée froide, le visage immobile, il s'inclina et déclara :

— Mes compliments, madame. Nous vous devons 66 000 francs. Si vous voulez me suivre ?...

Elle était entourée d'hommes en noir – mi-obséquieux mi-grognons – qui la conduisirent à un autre guichet. Là, un autre homme, aux yeux pâles, lui compta des jetons beaucoup plus grands et beaucoup plus carrés. Angela ne disait rien, ses oreilles sifflaient, elle avait du mal à se tenir droite.

— Combien cela fait-il ? demanda-t-elle en désignant ces plaques anonymes.

Et lorsque l'homme lui déclara : « 66 000 francs, madame ; c'est-à-dire six millions six, en francs anciens », elle avança la main vers lui et s'appuya à son bras. Il la fit asseoir, fort poliment, lui demanda un cognac et le lui offrit avec la même politesse un peu glacée.

— Pourrais-je les avoir en billets ? demanda Angela dès que la chaleur de l'alcool lui eut rendu une idée de la situation.

— Naturellement, dit-il.

Et il replongea dans ses tiroirs, en sortit une montagne de billets : jaunes, semblables à celui que lui avait confié Giuseppe le matin même ; il poussa même l'amabilité jusqu'à l'aider à les installer dans son sac.

— Vous ne voulez pas rejouer, madame ? demanda-t-il, mais d'un ton sans espoir.

Car il était évident (pour lui qui s'y connaissait) que c'était bien la première et la dernière fois qu'Angela Di Stefano mettait les pieds dans un casino. Elle refusa de la tête, dit « Merci beaucoup » et sortit du même pas, rapide et ferme, qui l'avait amenée là.

Le soleil lui rendit son visage dès qu'elle fut dehors. Elle reconnut la mer, la promenade des Anglais, les voitures, les vieux palmiers, et elle se rappela qu'elle était une femme trompée : elle alla s'asseoir au premier café près du casino (c'était, d'ailleurs, aussi, la première fois qu'Angela Di Stefano s'asseyait seule dans un café), et elle posa son sac entre ses jambes bien serrées avant de demander une glace à la framboise au garçon, d'une voix éteinte. Là, elle se mit à réfléchir. Un petit jeune homme vêtu de beige qui l'avait suivie depuis le casino tenta de lui faire la conversation et de lui offrir une cigarette, mais elle le repoussa, sans un mot, d'un geste de la main des plus éloquents ; et ce parasite, pourtant blasé, des casinos et des dames seules, se sentit pour une fois tout à fait humilié : ce n'était pas la peine d'insister.

Il partit donc et, livrée enfin à elle-même et à ses réflexions, Angela examina, successivement, les trois ou quatre plans qui lui semblaient logiques.

Le premier consistait à déposer de toute urgence ces billets jaunes dans une banque ; mais cette banque était celle de Giuseppe ; et Giuseppe l'ayant trahie, elle devait le quitter.

Le deuxième plan consistait à affréter un bateau ou une barque dans un port et à se faire ramener directement chez ses parents.

Le troisième consistait à prendre un taxi (comme dans les romans), à passer à la maison chercher Filou, sa valise et à laisser cinq cents francs à Giuseppe, avec un mot déchirant. Puis repartir vers le port, etc.

Le quatrième devenait plus romanesque : elle rentrait dans un magasin, elle se couvrait de robes arachnéennes en soie rouge, de bijoux merveilleux, elle louait une calèche et rentrait à la maison au grand galop, devant les voisines ahuries, en jetant des bonbons aux enfants sur tout le parcours. Ou alors elle trouvait deux gangsters – il devait y en avoir par là – et elle les chargeait d'aller rosser la belle Helena. Ou alors elle louait une voiture avec un grand chauffeur vêtu de gris, elle l'envoyait prendre ses affaires chez elle, rue des Petites-Écuries, avec un mot pour la voisine afin qu'il se fît remettre Filou et ses effets.

Toutes ces possibilités donnaient le vertige à Angela et le cognac se mariait mal avec la glace à la framboise. Elle avait mal au cœur. Il y avait si longtemps, en plus, que la vie était dépourvue de possibles pour elle, si longtemps qu'elle savait très exactement ce qui l'attendait dans la demi-heure qui suivait – et dans la semaine – et même dans l'année –, si longtemps qu'elle n'avait pas à choisir quoi que ce soit, que là, brusquement, cet imprévu : Giuseppe dans les bras d'Helena, devenait presque rassurant, à y penser, puisqu'il avait eu lieu, qu'il existait et qu'elle n'y pouvait plus rien. L'erreur, l'épouvante, c'étaient toutes ces possibilités enfouies dans ce sac, à ses pieds.

Si elle n'avait pas eu ce sac bourré de ces billets jaunes, elle le savait, elle serait revenue à la maison. Elle aurait crié après Giuseppe, elle l'aurait insulté, elle l'aurait menacé de le quitter, et peut-être même l'aurait-elle quitté pour quelque temps ; avant qu'il ne vînt, tout contrit, la rechercher dans son île. S'il n'y avait pas eu ce tas de billets, la vie serait restée simple et plate et, finalement, très douce, car elle aimait Giuseppe. Et si elle savait bien qu'il était, au fond, un peu coureur, elle savait aussi qu'il l'aimait, elle, Angela, et que, le samedi d'avant, c'était le fils de la vieille voisine qui avait passé l'après-midi chez Helena. Seulement, maintenant, elle pouvait être autre chose qu'une femme trompée, avoir en face d'elle autre chose qu'un homme repentant : elle pouvait être une femme libre et riche abandonnant un homme effondré... Giuseppe était maçon, et c'était un bel homme, mais enfin il n'avait plus vingt ans et il ne gagnait pas beaucoup d'argent. Si elle partait, les femmes ne courraient pas toutes après lui. Surtout que si, par erreur, il avait quelques francs d'avance, il les lui donnerait à elle, Angela. Car c'était elle qui avait dû insister pour qu'il achetât, par traites, leur vieille maison de la rue des Petites-Écuries : la robe en soie rouge, c'était toujours lui qui la lui promettait ; et finalement ce n'était pas elle qui en rêvait.

Le soir tombait lentement sur la mer grise et blonde, devenue soyeuse au soir, et Angela commençait à avoir peur que Giuseppe ne s'inquiétât. Peut-être pensait-il qu'un voyou l'avait attaquée pour lui prendre le beau billet jaune qu'elle devait porter à la banque : il ne pouvait, bien sûr, s'imaginer qu'elle était là, dans le café de cette avenue brillante, avec des millions à ses pieds, qu'elle pouvait partir et ne plus le revoir. Que feraient-ils vers 8 heures, lui et Filou, si elle ne rentrait pas ? Ils attendraient devant la porte comme deux bons à rien qu'ils étaient, incapables même de savoir où étaient l'huile et la farine, le saucisson et le vin. Non, ce n'était pas possible ! Elle ne pourrait pas, au même moment, profiter de la langouste, du champagne, des petits gâteaux que lui apporterait un maître d'hôtel de ces somptueux palaces si elle se décidait à partir. Elle ne pourrait rien faire de cet argent, tout aurait toujours un goût de mélancolie. Elle n'était pas faite pour ces possibles. Elle n'avait pas vu assez de films à la télévision ou pas lu assez de livres. Ou pas assez rêvé à d'autres que Giuseppe...

Elle se leva, rentra au casino et eut la chance de retomber sur le même homme aux yeux pâles, l'homme au cognac, qui la reconnut aussitôt. Elle l'attira dans un coin sombre et lui chuchota sa demande à voix basse.

— Comment ? dit-il.

Il avait haussé la voix, il était devenu rouge, et tout le monde les regardait. Alors elle le tira un peu plus vers elle, elle recommença à chuchoter, et, tout à coup, il sembla comprendre.

— Vous voulez que je vous les reprenne ? C'est ça ? dit-il. Mais je n'ai pas le droit, madame.

Il appela un autre homme, habillé comme lui, et ils chuchotèrent tous les trois. Les deux hommes avaient un drôle d'air à présent, ils semblaient brusquement plus jeunes et plus enfantins que tout à l'heure. Quelqu'un passant à côté d'eux eût été fort étonné d'entendre ces deux croupiers et cette belle femme parler des œuvres du Bon Secours ou des mérites des petits frères des Pauvres. Finalement, ils entrèrent dans le bureau, Angela reposa son argent, on lui remit un chèque qu'elle tourna et qu'elle endossa aux œuvres de Saint-Vincent. Elle signa « Angela Di Stefano » : il était évident aussi que c'était bien la première et la dernière fois qu'elle mettait son nom sur un chèque. Puis elle repartit fièrement, croisant des femmes à présent élégantes et des hommes nerveux, car c'était l'heure du vrai jeu. Et les deux croupiers la raccompagnèrent avec un tel luxe de civilité et de courbettes que toutes ces élégantes se retournèrent sur elle avec un air d'interrogation.

Elle rentra en courant et trouva Filou et Giuseppe, tous deux assis, mais l'un sur les genoux de l'autre, devant la télévision.

— Tu rentres bien tard, dit Giuseppe de sa voix grondeuse.

Et elle murmura juste :

— Oh oui, c'était long à la banque et j'ai rencontré une cousine de Bastia…, avant de se précipiter vers ses casseroles.

Giuseppe, qui se sentait lui-même un peu honteux, et qui avait eu le plus grand mal à faire disparaître le parfum de l'horrible eau de Cologne dont se couvrait Helena, tendit la main derrière lui et lui tapota la taille au passage. Il avait un peu sommeil. Une voisine chantait dehors, d'une voix fausse, et le chat ronronnait déjà à sentir ce qu'Angela faisait griller dans la poêle. « Cela avait été un samedi bien agréable, pensa Giuseppe, chaque homme a droit à un petit peu d'aventure dans sa vie, de temps en temps : les femmes ne s'en rendent pas compte… »

Les suites d'un duel

L'hiver 1883 fut précoce en Autriche. Il y fit grand froid dès septembre, les animaux sauvages rejoignirent leurs tanières plus tôt que d'habitude, et cela abrégea la chasse du baron von Tenck. C'est avec une avance de dix jours qu'il regagna Vienne et qu'il découvrit le lieutenant Serge Olevitch, du 1er régiment de la Garde, couché dans le lit de sa femme. Le baron von Tenck fit cette pénible découverte à 8 heures du matin, un mardi, et le duel, arrangé l'après-midi même par ses témoins et ceux du jeune homme, fut prévu pour le mercredi matin. La baronne Ilsa von Tenck passa la soirée à pleurer et à se baigner les yeux de camomille, alternativement. Le baron von Tenck graissa une fois de plus ses pistolets et ajouta quelques codicilles à son testament. Les quatre témoins, prévoyants, se couchèrent tôt. Seul le jeune officier Serge Olevitch eut un comportement plus original : c'est qu'il était lâche.

Issu d'une bonne famille austro-hongroise, élevé pieusement et durement, décemment beau et presque intelligent, jouisseur sans excès et gai sans ironie, Serge Olevitch avait tout pour être heureux. Sa lâcheté même n'avait que légèrement assombri son enfance ; un précepteur privé lui avait évité les affronts et les rossées des collégiens d'Autriche, et, n'étant entouré que de sœurs, il n'avait pas eu non plus à affronter les caprices d'un frère aîné. Son amabilité naturelle n'avait pas eu à être fouettée pour qu'il nouât vite au régiment des relations courtoises avec ses compagnons les plus brutaux. Il n'avait rien qui excitât l'envie ou la haine, il était bon garçon ; et c'était vraiment le hasard le plus tragique qui l'avait jeté dans le lit de la baronne von Tenck après un bal trop arrosé.

En fait, Ilsa von Tenck avait passé la quarantaine, entretenait de solides appétits, connus des Viennois comme de son époux, et sans ce malheureux retour inopiné Serge Olevitch aurait pu fort bien devenir, voire rester, l'amant discret de la belle Autrichienne sans que personne y trouvât à redire. Mais, même accommodant, un mari ne peut échapper au devoir qu'entraînent certaines évidences : une épouse nue, dans les bras d'un jeune homme nu, dans votre propre lit, tout cela sous le regard de votre propre valet de chambre, vous contraint à invoquer l'honneur. Le baron von Tenck, peu sanguinaire, était au demeurant désolé de cette obligation, se trouvant être à la fois le meilleur tireur de l'Empire autrichien et le moins empressé des époux.

Serge Olevitch marchait de long en large dans sa chambre, sa chemise ouverte malgré le froid, et jetait à son miroir, au passage, un regard à la fois épris et honteux. Il aimait le reflet de ce jeune homme sain et vigoureux dans la glace, mais il avait honte de l'expression de terreur qui parvenait presque à le défigurer : von Tenck allait le tuer, il le savait, von Tenck tirerait le premier, étant l'offensé, et il ne le manquerait pas. Il allait être tué à cause de quelques nuages trop précoces, dans un ciel d'automne, tué en fait à cause d'une femme que ni son mari ni lui-même ne désiraient vraiment. Il allait mourir pour rien. Ce nez droit, ces cheveux drus, cette peau colorée, ce cœur qui battait fidèlement, vigoureusement, tout cela ne serait demain, bientôt, tout de suite, qu'un tas flasque qu'on enfouirait aussitôt dans la terre. Le jeune homme dans la glace avait une telle expression d'horreur que Serge en gémit tout haut. Et son propre gémissement le fit sursauter comme s'il émanait d'un animal traqué, un cerf aux abois, par mégarde réfugié dans sa chambre.

Il fallait qu'il trouvât une solution. Fuir équivalait à un suicide : déshonoré, sans amis, sans famille, sans argent, sans honneur, sans courage, son destin s'achevait là, sa vie n'était plus qu'un simulacre. Non, il ne pouvait pas fuir. Il fallait trouver quelque chose qui empêchât ce duel. Un instant il éprouva la ridicule tentation de courir jusqu'à l'hôtel de von Tenck et, à la faveur de l'obscurité, de monter sans bruit jusqu'à sa chambre et l'assassiner. Mais cet assassinat vite attribué serait aussi déshonorant que la fuite ; il valait mieux mourir d'un coup de pistolet que sous la hache. Non. Rien n'empêcherait le baron von Tenck de se rendre, à l'aube, au bord du Danube, rien ne l'empêcherait de tuer Serge. À moins que…

La sueur qui coulait sur le corps du jeune homme s'évapora d'un coup : Serge Olevitch se détourna de son miroir et s'assit sur le lit. « À moins que » il ne puisse pas, lui, être au rendez-vous. Après tout, il pouvait, lui, se faire assassiner par un tiers ; assassiner… ou « presque » assassiner. Dans ce « presque », dans ce petit mot bâtard et ridicule du dictionnaire se tenait la vie future, la vie rutilante du jeune lieutenant Serge Olevitch. 2 heures sonnèrent, il fallait faire vite. Ce « presque », il le savait, ne ferait bien sûr que retarder le duel, un accident quelconque ne lui assurerait qu'un mois ou plus de survie ; mais, pendant ces précieux jours, il trouverait la solution : du temps, il lui fallait du temps, il fallait avant tout que cette horloge cessât de sonner des coups qui le ramèneraient à sa tombe ; il fallait que cette aube ne fût pas la dernière, il fallait que le soleil éclairât son front le lendemain. Serge Olevitch ouvrit la fenêtre et se jeta, les pieds en avant, du deuxième étage.

Les eaux de la petite ville de Turinge, en Bavière, ne sont pas spécialement recommandées aux déficiences osseuses, et quatre sources sulfureuses, une promenade bordée de deux rangées d'ormes royaux, trois hôtels élégants et vieillots en font tout le charme. L'arrivée du jeune Serge Olevitch à la *Hunter Gasterhaus* surprit donc les curistes comme les habitants, et, parmi ceux-ci, la très honorable Hannette von Tenck, propriétaire de dix mille acres à l'est de Turinge, du plus bel hôtel particulier du bourg, et surtout unique sœur du baron outragé.

À cinquante ans, Hannette von Tenck était une solide célibataire que nombre de prétendants – plus attirés peut-être par sa fortune que par ses charmes – n'avaient pu conduire à l'autel. Longue et sèche, les cheveux d'un roux cru, le visage altier, c'était moins l'amour qu'elle inspirait au premier abord que le respect, voire l'effroi. Néanmoins, c'était la seule parente qui restât au baron von Tenck, le seul lien qui, peut-être, sûrement même, retiendrait ce dernier de parachever son duel. Et lorsqu'elle sortit de l'église Saint-Joaquim – dont le jeune Olevitch, dans sa chaise roulante, encombrait la porte –, elle lui parut, par ce beau matin d'hiver, la beauté même. Plus que la beauté, elle était la vie : ses cheveux roux avaient la chaleur des flammes, sa rigidité présentait un appui, et son âge une assurance. Bien sûr, ce n'était pas de partager le lit de cette baronne qui excitât précisément l'ardeur du jeune lieutenant, mais cette image lui répugnait moins que celle d'un faubourg de Vienne, à l'aube, et d'un pistolet noir braqué sur lui. Aucune promiscuité ne pouvait être pire que celle des cimetières, nul contact plus odieux que l'absence de contact.

Serge Olevitch – si l'on juge les sentiments à leur intensité autant qu'à leur nature – fut l'amoureux le plus fervent de l'Empire germanique. Ses lettres, ses fleurs, ses attentions envahirent la demeure jusque-là peu gâtée de la chaste Hannette. Entre deux chasses à courre – car, fière amazone, Hannette vivait pratiquement sur son cheval –, elle finit par s'inquiéter des assiduités de ce jeune et bel homme. Elle se renseigna, apprit avec surprise et plaisir qu'il était fortuné et, sans surprise ni plaisir, qu'il avait été l'amant de sa belle-sœur. Hannette ne vit dans ces assiduités auprès d'une même famille qu'une malheureuse coïncidence, « coïncidence d'ores et déjà fort malheureuse pour le pauvre garçon », pensa-t-elle, car le baron von Tenck et sa sœur avaient eu, jadis, le même rusé maître d'armes et avaient encore le même œil d'aigle. Hannette vit donc mort cet infortuné jeune homme riche, le plaignit, lui parla, vit qu'il partageait sa funèbre conviction, crut du coup à la sincérité de ses propos. « On ne ment pas à si peu de temps de sa fin », pensait-elle. C'était bien le charme de ses qualités morales joint à celui de sa conversation qui attiraient Serge Olevitch chez elle. Pas un seul instant elle n'imagina le vrai mobile de cette toquade : la peur n'existait que de nom dans la famille von Tenck. Et pourtant c'était la peur et non l'adoration qui entrecoupait les paroles de Serge Olevitch, c'était la panique qui troublait sa voix et embuait ses yeux.

Hannette von Tenck n'avait eu jusque-là, sur le mariage, que des idées cérémonieuses. Son propre tempérament était chaque jour plus que comblé : éreinté par huit heures d'équitation. À chaque demande en mariage, elle s'était toujours imaginée en robe blanche, au bras de son prétendant de l'église Saint-Joaquim, et à chaque fois cette image lui avait paru grotesque. Cette fois-ci, à cause peut-être du lugubre avenir de son soupirant, elle eut moins envie d'en rire. Elle lui jeta des regards d'abord curieux, puis amusés, et enfin attendris, tant il était touchant dans sa hâte et dans son épouvante à l'idée d'un refus.

Un soir d'hiver, après un après-midi d'équitation, où elle avait quand même pu apprécier la monte excellente du convalescent, elle lui parla sincèrement : « Le seul obstacle à notre mariage, dit-elle, serait mon frère, le baron. Mais il ne voudra pas tuer son beau-frère. D'ailleurs, je lui en voudrais, ajouta-t-elle en hennissant affectueusement. D'autre part, laisser un duel en l'air, c'est faire bien peu de cas de l'honneur. » « Je sacrifierais mon honneur lui-même à notre amour », répondit fermement Serge Olevitch. La fière demoiselle fut touchée de cet élan et ce n'est que plus tard qu'elle se rappela qu'après tout c'était l'honneur de son frère qui avait été atteint. « Bah ! dit-elle alors en secouant ses épaules musclées et en balayant de sa cravache une verte branche d'érable qui se retrouva aussitôt dénudée. Bah ! mon frère le baron en a assez tué ; il n'aime pas le sang. D'ailleurs, le voudrait-il qu'il ne pourrait régler leur compte à tous les étalons qu'a chevauchés ma belle-sœur. Ne discutez pas », ajouta-t-elle en réponse au faible et galant bruit de protestation qu'émettait le jeune homme.

Elle changea donc sa cravache pour une plume d'oie et, après avoir confié sa main, pour la première fois, aux lèvres de Serge Olevitch, elle s'en servit pour envoyer à son frère la nouvelle de son mariage. À Vienne, ce dernier, à demi oublieux, au demeurant, de son duel, et qui ne s'en rappelait la date que comme on se rappelle celle de Pâques ou des Rameaux, fut tout à fait enchanté de ces tardives fiançailles. Le caractère de sa sœur, jusque-là accaparée par l'équitation, lui faisait redouter, lorsqu'elle serait impotente et de retour à Vienne, de fort mornes soirées. En revanche, il fut plus surpris de savoir le fiancé riche. « Ce jeune homme est décidément l'étourderie même », pensa-t-il, et il ne chercha pas plus longtemps à s'expliquer ce mariage inexplicable. Seule la baronne von Tenck froissa quelques mouchoirs à cette nouvelle, mordit quelques oreillers et vida quelques flacons. Mais, son optimisme naturel reprenant le dessus, elle crut voir là une folle ruse d'amoureux, s'enivra d'idées incestueuses et, troublée, s'abandonna aux bras d'un attaché d'ambassade.

Une partie de chasse paracheva la réputation de notre héros. Tandis que les piqueux pourchassaient un cerf, les fiancés, imprudemment descendus de leurs montures, faisaient quelques pas dans un étroit sentier. Fut-ce le rire vibrant d'Hannette qui troubla sa sieste, fut-ce le son lointain du cor, toujours est-il qu'un gros sanglier mâle chargea le couple. Hannette courait déjà vers son cheval chercher sa dague, mais Serge Olevitch, qui marchait devant elle, resta pétrifié de terreur. Telle une statue de pierre, interposé entre cette masse fauve et son agile fiancée, il pensa vaguement : « Tout ça est trop bête », avant de s'évanouir. Le sanglier le touchait déjà, et il eût sans doute été horriblement piétiné si quelque chose, peut-être le rouge ardent des cheveux d'Hannette, n'avait brusquement dévié l'animal de sa course. En tout cas, quelques instants plus tard, Hannette, à genoux, regardait, les larmes aux yeux, l'homme qui avait affronté à pied, pour elle, la charge d'un sanglier mâle de quatre-vingt-dix kilos, l'homme qui lui avait fait un rempart de son corps. « Le sang des von Tenck se retrouverait en bonne compagnie », pensait-elle, et le regret d'éventuels petits von Tenck-Olevitch l'effleura pour la première, et d'ailleurs dernière fois. Hannette n'avait rien d'une pouponneuse ; ni d'une romanesque, on le savait à Turinge ; aussi le récit succinct mais précis qu'elle fit des exploits de son fiancé frappa-t-il la ville d'admiration autant que de surprise. Se faire massacrer pour une faible femme, à la rigueur, pensa-t-on, mais Hannette von Tenck ne respirait pas précisément la faiblesse ni la féminité.

On accorda donc à Serge Olevitch et le respect très marqué que l'on doit au courage et celui, moins net, que l'on rend à la folie. En tout cas, une considération vaguement craintive et tout à fait inattendue à ses yeux. Inattendue mais savoureuse : bien sûr, le sanglier ne l'avait-il que frôlé et, bien sûr, Serge Olevitch n'avait-il chu que de sa hauteur, mais ce choc avait modifié quelque chose en son âme. Il était toujours aussi lâche, hélas ! mais moins honteux de l'être. « Tout cela est trop bête, vraiment trop bête », répétait-il en songeant que c'eût pu être là sa dernière pensée, et cela le faisait sourire de biais. Un sentiment d'outre-Manche inconnu de sa Westphalie natale, et d'ailleurs de toute la Prusse, un sentiment qu'en Angleterre on épelait comme « humeur » mais prononçait autrement, envahissait peu à peu cette âme couarde et calme.

C'est empreint de cette indifférence béate qu'il épousa, trois mois plus tard, Hannette, plus hâlée que rougissante, et qu'il donna une accolade affectueuse et dépourvue de toute rancune à celui qui avait failli être son meurtrier.

La vie était paisible à Turinge et, ayant abandonné l'armée pour se consacrer au domaine de son épouse et au sien, Serge Olevitch, qui aimait la campagne et ne dédaignait point les amours ancillaires, y eût coulé des jours heureux et interminables sans l'événement imprévu qui s'abattit sur son ménage.

Hannette von Tenck avait été, on le sait, une fanatique de la race chevaline. Après une nuit de noces durant laquelle Serge Olevitch sut se conduire en gentleman si ce n'est en mâle triomphant, Hannette von Tenck se réveilla fanatique de la race humaine. Ses sens et ses chevaux se débridèrent ensemble. Le lit remplaça la selle à pommeau ; les forêts de Turinge ne retentirent plus de ses « Taïaut ! », mais le grand hôtel de la ville retentit de cris bien plus déchirants. Les craintes du baron, son frère, n'étaient pas vaines. Le sang impétueux des von Tenck, réveillé trop tard, conduisit le malheureux Serge Olevitch à des vertiges et des excès dont son tempérament bonasse se fût fort assurément passé. L'amour lui avait évité la mort, l'amour l'y ramenait. Pâle, blême, décharné, nourri de viandes fortes et abreuvé du traître muscat des vignes westphaliennes, le lieutenant Serge Olevitch voyait son existence s'amenuiser lentement derrière un rideau de cheveux rouges, emmêlés – et qui ne blanchissaient pas. Six mois après ses noces, il s'alita, se mit à tousser, et les médecins appelés de Vienne parlèrent de cachexie. Le désespoir d'Hannette fit peine à voir. Sur les conseils de son frère et de ses amis, elle tenta d'abord de retrouver ses plaisirs d'antan, de reprendre, tandis que son époux se reposait, ses chevauchées. Mais ses galops lui en rappelaient d'autres et ses fatigues n'étaient jamais à la hauteur de sa vitalité.

Un après-midi de printemps, ainsi, où elle parcourait la campagne en soupirant, suivie de son fidèle piqueux, elle eut l'imprudence de se plaindre à cet homme de basse condition. Il la comprit mal, ou trop bien ; le beau et jeune Serge Olevitch, du 1er régiment de la Garde, fut à vingt-cinq ans trompé par son épouse quinquagénaire avec un forestier rustaud. Ignorant de tout cela, il avait néanmoins, à l'automne, repris quelques couleurs et on le vit, au premier dimanche d'octobre, sortir de la grand-messe à Saint-Joaquim au bras de son épouse. Amaigri, mais sauvé.

Et de fait, après deux mois de sieste, de blancs de poulet et de vin de Porto, Serge Olevitch se croyait sauvé. Hannette dormait, paisible, près de lui, son souffle puissant faisant parfois vibrer le baldaquin, mais sans esquisser le moindre de ces furieux assauts dont il gardait encore un souvenir épouvanté. Il en venait parfois à se demander s'il n'avait pas inventé ces nuits de cataclysme, ni ces terrifiants corps à corps qui l'avaient jeté si souvent au bas du lit. À y repenser, le jeune homme se signait silencieusement dans le noir, car il y avait eu des moments, pendant ce printemps funeste, où il eût préféré revoir la charge du sanglier dans le sentier plutôt qu'Hannette, en tenue de nuit, le couvant des yeux dès leur coucher. Ils allaient rentrer à Vienne et, à présent remis de toutes ces fatigues, le jeune homme envisageait même sans répulsion quelque aventure bien banale avec une ballerine du grand Opéra. Il la choisirait légère, se disait-il tout bas, aérienne, diaphane, translucide... Tous ces adjectifs se succédaient et ne s'arrêtaient que lorsqu'un sursaut geignard du lit signalait qu'Hannette se retournait dans son rêve. Au demeurant, la chère femme, sa première frénésie passée, restait affectueuse avec lui et n'insistait même pas pour qu'il la suivît dans ses harassantes chevauchées.

Ce ne fut pas sans mal qu'il la convainquit, néanmoins, qu'il était temps de rejoindre la capitale. Il y avait là-bas, lui assurait-il, de belles promenades à faire dans le bois de Sprau, et elle trouverait bien quelque seigneur épris aussi de ce noble sport pour l'accompagner dans ses promenades. L'imprudent Serge Olevitch parlait en toute innocence. Il ignorait que les citadins délicats et blasés de Vienne n'avaient ni le sang-froid ni le sang chaud des paysans de Turinge, et que c'était à la famine qu'il conviait son épouse.

Le premier bal donné par le jeune couple attira tout ce que Vienne comptait de noble et de brillant. La fortune de la mariée, l'assurance que l'on avait de trouver chez elle bonne musique et bonne chère attiraient moins cependant que l'incongruité toute nouvelle de cette union. La soirée fut fort gaie. Serge Olevitch avait fière allure dans son habit noir, et l'on vit, non sans malice, sa belle-sœur, la baronne von Tenck, le poursuivre d'encoignure en encoignure toute la soirée.

Pendant ce temps, Hannette, épanouie et rose, semblait-il, sous son hâle, valsait avec vigueur. Le vieux baron Turnhauh, devenu un peu frêle avec les ans et qui avait eu la dangereuse idée de lui proposer une valse, se trouva à un moment donné les mollets parallèles au plancher, fort inquiet, son monocle volant au vent. Cela fit rire quelques esprits malicieux, avant qu'Hannette ne le reposât délicatement près d'une bergère.

À vrai dire, la gaieté d'Hannette faisait plaisir à voir. Parmi les frêles et diaphanes comtesses de Vienne, toutes blêmies par un été passé à l'ombre, elle tranchait par ses joues rouges, son cou vigoureux et des éclats de rire plus fréquents dans les parties de chasse. De temps en temps, on la voyait jeter au beau Serge Olevitch, qui les lui renvoyait, des regards amoureux qui, à tout prendre, faisaient plutôt bon effet. Quelques douairières, quelques mauvais esprits asexués et quelques jeunes femmes jalouses de naissance se permirent des commentaires ironiques ; mais dans l'ensemble on peut dire que le premier bal des Olevitch fut un succès. Certains gentilshommes, néanmoins, promenèrent, pendant la soirée, après avoir valsé avec la maîtresse de maison, des visages indécis ; on les voyait s'arrêter, les sourcils froncés, avec un grand air de doute, voire de stupeur, avant de repartir bravement en haussant les épaules. « Par Dieu ! se disait par exemple le baron Cornelius von Strass, par Dieu ! j'aurais rêvé… Il n'est pas possible que cette pauvre Hannette, si dévote, m'ait froidement demandé de la... culbuter ? – le mot que j'ai cru entendre était pire ! – entre deux figures de polka... ? » ; « Par Dieu ! se disait de son côté le très savant Dr Zimenatt, il faut que je sois fou d'avoir cru sentir la main d'Hannette tâtonner dans mon habit... ? » Indécis, ces gentilshommes n'osèrent se confier leurs impressions, d'autant plus que, concertées, leurs femmes s'ébaubirent. « Ce serait bien le diable, disaient-elles, que la chaste Hannette, à peine mariée, veuille tromper son beau mari... ! » Ce disant, elles soupiraient car déjà cela attristait fort les jolies femmes de Vienne de voir ce beau et fringant jeune homme à jamais lié à une créature si bizarre.

Et de fait, Serge Olevitch n'aurait eu aucun mal, dès son retour, à choisir une maîtresse parmi les plus jolies et les plus désirables femmes de la ville. Mais, contrairement à toutes les lois du genre, il ne bronchait pas, ne regardait qu'Hannette et opposait un visage de bois aux œillades les plus claires. En revanche, et presque ouvertement, son épouse faisait de telles agaceries aux nobles Viennois de passage que l'on crut chez elle à un oubli des usages, une bonhomie un peu verte due à son long séjour à la campagne, car, eût-elle voulu attirer dans son lit tout porteur de pantalon, Hannette ne s'y fût pas prise autrement. « Il ne fallait point s'y méprendre », se disait-on ; mais c'est pourtant ce que fit le jeune Aloysus von Schimmel, un soir de décembre.

De très vieille famille, un peu dégénéré, ce qui expliquait peut-être à la fois sa tuberculose, sa myopie et ses égarements de pensée, le jeune Aloysus, à vingt-sept ans, semblait en avoir quinze. Installé à Vienne par sa famille pour se dégourdir – depuis près de dix ans –, on ne l'avait jamais vu ailleurs qu'à son piano. Il était sombre, susceptible, enfantin, et de plus il arborait au sommet d'un corps petit et maigre une épaisse toison bouclée du même rouge ardent que celui d'Hannette. Ayant dédaigné jusque-là les faveurs de quelques Viennoises attirées par sa fortune, il sembla se réveiller tout à coup en voyant, reflétée dans le bois sombre de son piano, une tête coiffée d'un rouge égal au sien. Aloysus quitta son piano et voulut danser, ce qu'il n'avait pas fait six fois en dix ans. On vit Hannette Olevitch saisir ce freluquet par la taille, on les vit s'élancer sur la piste en un furieux tourbillon qui n'était pas sans évoquer une meute à l'hallali ; bref, on vit se former ce soir-là ce qu'on devait appeler méchamment par la suite : le couple des rouquins.

Le contraste était grand entre la bonne santé, la carnation de l'héritière des von Tenck et la pâleur, la chétivité de l'héritier des von Schimmel ! Leur seul point commun était, semblait-il, cette chevelure ardente, mais ils semblèrent s'en découvrir de nouveaux très rapidement. Hannette eut la joie de faire découvrir à un autre – peu de temps après les avoir découverts elle-même – les plaisirs de l'amour. Aloysus, dompté, secoué, caressé, étrillé, nourri – nourri de force –, se mit au contraire de Serge à prendre quelque vigueur. Le matin voyait la fière Hannette dévaler à cheval les allées du bois suivie de son pianiste. Le soir les réunissait autour d'une partition, ou au coin de quelque cheminée. Quant aux après-midi, après quelque temps on ne douta point de l'usage qu'ils en faisaient. La passion flambait entre ces deux têtes flamboyantes. Et Serge Olevitch ne bronchait toujours pas.

À Vienne, on allait donc de bizarrerie en bizarrerie : qu'un beau jeune homme riche se mît en tête d'épouser l'ingrate Hannette était une chose étonnante ; qu'elle y eût consenti, après vingt ans de chasteté et de chasse à courre, était une chose aussi étonnante ; mais que, de retour à Vienne, ce fût elle qui le trompât, cela devenait presque scandaleux. On se mit à jaser, et à douter même de la virilité du jeune marié. Serge Olevitch le sentit et se vit quasiment contraint de faire ses preuves. Il s'en fut donc au foyer de l'opéra faire sa cour à une danseuse. Malheureusement, les gentilshommes de Vienne étant aussi fortement sourcilleux sur la vertu de leurs maîtresses qu'ils l'étaient peu sur celle de leurs femmes, Serge Olevitch dut prendre des gants et, pour éviter un duel – qui l'eût ramené des années en arrière –, choisir parmi ces beautés une proie qui ne fût point en main – c'est-à-dire un laideron.

Néanmoins, le laideron, enchanté de ce brusque succès, parla, s'extasia, et nul ne put plus avancer comme explication à cette intrigue une faiblesse pathologique du jeune marié.

Au demeurant, il faut ajouter qu'Hannette, bien qu'éprise aussi, semblait-il, ne se livrait pas à ces mignardises, à ces regards ni à ces grimaces qui obligent un honnête homme à faire l'époux et le jaloux. Elle envoyait à son amant de grandes claques dans le dos, des « bonjours » tonitruants, des bourrades vigoureuses qui réellement ne laissaient traîner aucune équivoque. On pouvait dire des deux rouquins, grossièrement, qu'ils étaient « comme cul et chemise », mais il était fort difficile d'en prendre ombrage. Et Serge Olevitch se gardait bien de le faire. Encore que les gammes et les trilles du jeune Aloysus fatiguassent considérablement ses oreilles, il s'estimait heureux qu'Hannette n'eût pas jeté son dévolu sur un maître d'hôtel bavard ou un laquais sans manières. Il éprouvait même une sorte d'admiration pour l'énergie nerveuse qui semblait animer le jeune homme. Il le plaignait pour ses cernes, et il compatissait à chacune de ses fausses notes. Son rôle, à lui, était simple, en tout cas d'apparence : ne rien voir.

Et pour cela Serge Olevitch, l'hiver, ne cessa de tousser, de se cogner aux meubles, de parler très fort tout seul, de sonner à grands coups à sa propre maison et mille autres précautions. Il aurait vraiment fallu que les amants le voulussent pour qu'il les surprît. Ah ! Aloysus von Schimmel n'était pas plus soucieux de cette éventualité que ne l'était Serge lui-même : l'idée qu'il pût les voir enlacés et que les deux le vissent les voir le glaçait d'effroi ; car enfin, s'ils le surprenaient à les surprendre, il serait obligé d'agir – c'est-à-dire de provoquer le jeune homme et de se retrouver dans un champ, à l'aube, le pistolet à la main… Cette image revenait chaque nuit dans les cauchemars du pauvre Serge Olevitch.

Hélas ! l'inévitable ne peut être évité trop longtemps. En rentrant dans la serre, où il cultivait depuis peu des orchidées napoléoniennes (Serge Olevitch s'était découvert une passion pour la botanique), il eut la déplorable idée de rajouter quelques caissons de paille autour d'un jeune plant spécialement frileux. Et dans la réserve du jardinier, au milieu des bottes de paille, il découvrit Hannette et Aloysus étroitement enlacés, et, sinon nus, du moins fort déshabillés. « Hannette… », gémit-il d'un ton désolé tandis que cette dernière, plus énergique mais néanmoins surprise, émettait un juron des plus païens. Quant au jeune homme, déjà il redressait son col et s'inclinait très bas avec des airs de gentilhomme qui achevèrent d'exaspérer Serge Olevitch. Il fut à deux doigts de le gifler pour de bon ; non point pour sa félonie mais pour sa maladresse. « Ne le frappe pas ! » s'écria l'héroïne, se rappelant le sanglier, et cela réveilla tout à coup Serge Olevitch. Il se fit un visage sévère, et non pas décontenancé, s'inclina à son tour profondément devant le couple défait et déclara d'une voix ferme : « Je n'ai rien vu », avant de refermer la porte. Puis, le cœur battant, le visage calme, il rentra à grands pas dans sa chambre et s'y enferma, interdisant qu'on le dérangeât ! « Ce petit galopin, pensait-il, aurait ainsi le temps de se calmer, et il n'aurait à convaincre du bien-fondé de sa position que la seule Hannette. »

Celle-ci se retrouva fort ennuyée et comme dégrisée – car elle avait été proprement intoxiquée par les adagios, les pâleurs et les fièvres du jeune Aloysus. À présent, et après avoir trouvé excitantes ces étreintes hâtives dans des greniers, elle commençait à regretter la vigueur simple du piqueux, et le calme des champs et le silence approbateur de la nature lui paraissaient plus doux que le murmure des citadins. Néanmoins elle était assez contente de cette aventure qui donnait du piquant à sa vie quotidienne, selon les déroulements des plus purs romans français, et elle ne répugnait pas à monter jouer une grande scène de repentir aux pieds de son cher Serge Olevitch. Elle défrisa ses cheveux en signe d'affliction et, d'un pas ferme – car, même en escarpins, elle faisait un bruit de bottes –, elle pénétra chez son époux, non sans bousculer le valet de chambre.

Serge Olevitch était en robe de chambre et fumait un havane ; après une légère hésitation, elle jugea plus séant de s'asseoir en face de lui.

— Cela fut fâcheux, commença-t-elle de sa belle voix grave, je vous avouerai que j'en suis désolée. Cette idée de serre n'était point la mienne.

Serge Olevitch se taisait. Et, ne pouvant attribuer ce silence au chagrin – car elle avait entendu parler du laideron de l'opéra –, Hannette l'attribua à l'orgueil.

— Voyons, dit-elle, cela n'est rien. Après un petit duel – vous serez assez bon pour ne point estropier ce garçon qui n'est que jeune – nous pourrons partir quelques mois à Turinge pour éviter les commérages.

— C'est hors de question, dit Serge Olevitch. Il est hors de question que je me batte.

Un flot de sang envahit le visage déjà rouge de sa compagne, mais Serge Olevitch, d'un geste, dissipa la pensée ignominieuse qui se glissait dans l'esprit de son épouse :

— Car me battre, ajouta-t-il d'une voix ferme, serait admettre que vous avez failli à l'honneur, chère Hannette, que vous avez rompu la première les serments que vous m'avez faits devant Dieu.

Hannette, qui était dévote, quoique peu croyante, broncha sous le coup :

— Vous voulez dire que vous n'allez pas exiger réparation ?

— Exactement, dit Serge Olevitch avec grandeur. Pour votre honneur, je me passerai de réparation.

Alors là, pour la première fois de sa vie, et sans doute pour la dernière, Hannette von Tenck-Olevitch éclata en sanglots. Plus qu'un héros, son mari était un saint ! Ce qu'il faisait là, pas un homme d'Autriche ne l'avait fait, pour aucune de ses amies ! Sa gloire, à elle, lui était plus précieuse que la sienne propre ! Elle couvrit ses mains de larmes, se jeta à son cou en sanglotant – ce qui le fit trébucher – et lui jura un amour, sinon fidèle, du moins éternel.

— Je ferai très attention..., ajouta-t-elle en se mouchant vigoureusement. Vous n'aurez plus à me surprendre.

Magnanime, Serge Olevitch enregistra cette promesse et, presque aussitôt, donna l'ordre d'atteler. Le jeune Aloysus von Schimmel attendit toute la soirée au *Sacher*, et toute la nuit chez lui, des émissaires qui ne vinrent pas. Mais quand au matin, déconfit, il s'en plaignit dans Vienne, nul ne voulut le croire. L'histoire du sanglier était encore fraîche et personne ne pouvait penser que Serge Olevitch, ce solide gaillard, avait reculé devant ce jeune homme malingre.

D'ailleurs, on n'entendit plus parler pendant longtemps de l'heureux couple. On n'en entendit plus parler car il n'y avait rien à en dire. Hannette Olevitch parcourait les bois ; elle y chassait l'homme et le daim avec la même vigueur. Serge Olevitch, lui, avait une cameriste particulière, aux doux yeux sombres et à l'instinct maternel. Il fumait des cigares, buvait du porto, et même, parfois, quand il avait abusé de ce dernier, il lui arrivait de se risquer lui-même dans le lit de sa femme.

Après quelques années de bonheur, il fut effectivement chargé par un sanglier, piétiné et saigné à blanc. Nul ne remarqua que les blessures s'ouvraient dans son dos. Et le discours de l'évêque de Turinge fit allusion à sa vaillance et à son imprudente témérité, devant une assistance aussi convaincue qu'éplorée.

La Futura

À quarante ans, Leonora Guiliemo, dite « La Futura », était encore une des plus belles femmes de Naples. Ce nom de « La Futura » qu'elle portait depuis vingt ans n'était pas un nom usurpé. Depuis vingt ans, elle représentait le plaisir, le jeu, l'argent, la débauche et autres débordements passionnels pour toute la noblesse dorée du beau Naples. Et depuis quelque temps, depuis que les Autrichiens tenaient la ville, elle représentait aussi le futur au sens le plus simple du terme. Grâce à ses relations avec les carabiniers de la police et les notables de la ville, et grâce à sa nouvelle liaison avec le colonel autrichien qui y faisait régner l'ordre, Leonora avait été plusieurs fois à même – moyennant beaucoup d'argent – de soustraire au fusil et à la corde de nombreuses têtes princières, ducales ou simplement bien nées. Le comte Di Palermo qui se tenait devant elle, ce soir-là, et qui empilait sur son lit de nombreux tas d'or ne se faisait aucun souci. Son fils, Alexandro, qui devait être exécuté le surlendemain pour avoir tué en duel un misérable capitaine de Vienne, rentrerait vite dans le château de ses pères. La Futura s'en chargeait. Bien sûr, cela lui coûtait fort cher mais, aussi sot et aussi odieux qu'il fût, Alexandro était son fils. Et le comte Di Palermo s'obligeait à rester aimable devant cette superbe mais méprisable catin. Elle devait sentir sa rage et cela devait l'amuser, car elle souriait un peu pendant qu'il alignait ses sacs.

— Le compte y est, dit-il.

— C'est fort bien, dit La Futura. Mais dis-moi, comment est-il déjà, ton Alexandro ? Je ne me le rappelle plus.

Le comte Di Palermo sourcilla un instant : non au tutoiement, mais il lui déplaisait que l'on ne se souvînt pas de son fils, même dans un bouge de cette sorte.

— Oui, reprit La Futura, il va bien falloir que je le remplace, pour l'exécution. J'enverrai un benêt se faire tuer à sa place en lui faisant croire à un simulacre. À l'aube, tous les morts sont gris, dit-elle avec un petit rire, mais il faut un minimum de ressemblance.

— Alexandro est grand et blond, dit le comte Di Palermo avec fierté.

Puis il ajouta d'une voix plus basse :

— Et il a une cicatrice en travers de la joue… Une marque d'ongle, ajouta-t-il devant les sourcils interrogateurs de La Futura.

Elle se détourna et sembla écouter quelque chose d'inattendu au-dehors. Mais les faubourgs étaient calmes. C'est d'une voix égale qu'elle lui posa une dernière question :

— N'a-t-il pas d'autres signes distinctifs ?

— Si, dit-il, il lui manque une phalange au petit doigt. Alors je compte sur toi ?

— Tu peux compter sur moi, dit La Futura. Le comte Alexandro Di Palermo sera mort pour tout Naples après-demain.

Restée seule, La Futura sembla hésiter puis elle se dirigea à grands pas vers la porte qui donnait sur la ruelle et l'ouvrit. Un nain se glissa dans la pièce.

— Frederico, dit La Futura, dis-moi, le perverti, tu te rappelles, celui de la pauvre Margarita, il avait un doigt en moins, non ?

— Oui, dit le nain.

Et, bien que son visage fût en lui-même une horreur à regarder, il arbora quand même une expression horrifiée. La Futura sembla réfléchir un instant puis, d'un air de regret, elle haussa les épaules et s'empara des sacs d'or qu'elle soupesa longuement.

— Bah, tant pis ! dit-elle. Margarita est morte à présent, il faut que tu me trouves un homme blond, Frederico, grand, que tu lui griffes un peu la joue, et qu'il ait un doigt en moins. Demain au soir, il me le faut.

Gabriele Urbino reprit connaissance. Il éprouvait une vive douleur au doigt et il essayait désespérément de se rappeler où et quand il avait pu se faire mal de la sorte. Il était ligoté, les mains derrière le dos, et il faisait noir dans la pièce froide où il gisait. Il se rappelait avoir aperçu pendant son après-midi de pêche une ombre ridicule, petite et difforme, s'allonger sur la prairie à côté de lui, et il se rappelait s'être retourné. Après, plus rien. La porte s'ouvrit et un bras tenant une bougie apparut. À la suite du bras, il y avait la tête affreuse d'un nain, et derrière lui le visage de la plus belle femme que Gabriele ait jamais vue de sa vie. Il se leva machinalement et s'adossa au mur. Le nain coupa ses liens d'un geste sec et il se rendit compte alors qu'un pansement blanc recouvrait sa main. Il la regarda avec incrédulité.

— Comment t'appelles-tu ? dit la femme.

— Gabriele, dit-il.

Et malgré lui, il sourit. La femme avait une voix basse, chantante, « une voix comme un violon », pensa-t-il. Il avait envie qu'elle lui parlât très longtemps.

— Pourquoi souris-tu ? demanda-t-elle.

Elle avait une expression intriguée qui la rajeunissait tout à coup de vingt ans.

— Vous avez la voix comme un violon, dit Gabriele. Je n'ai jamais entendu une voix pareille.

Le nain se mit à rire et la femme en fit autant.

— Mon Dieu ! dit-elle, on te rosse, on te coupe le doigt, on t'emprisonne ici, et tout ce que tu trouves à dire c'est que ma voix a le son d'un violon ! La nature t'a fait joyeux, mon garçon…

— C'est vrai, admit Gabriele.

Et il se mit à rire aussi. Il était joyeux et il était beau, pensa La Futura. Il était bien plus beau que cet Alexandro qu'elle se rappelait bien à présent. Ses cheveux étaient blonds comme les blés, luisants et drus, et non pas jaunes comme le foin triste du fils de Palermo. Ses yeux étaient bleus, brillants, vifs, et non pas gris et glauques. C'était bien dommage, pensa-t-elle, c'était une pitié, vraiment.

— Écoute, dit-elle, il faut que tu me rendes un service qui te sera payé cher. On doit fusiller à blanc, demain, le fils du comte Di Palermo, mais il a les nerfs fragiles et il faut que quelqu'un le remplace…

Elle parlait, elle dévidait ses mensonges et son piège, et pour une fois elle butait un peu sur les mots et son discours manquait de conviction et de son habileté coutumière. Elle s'en rendait compte et cela la gênait. Mais quand elle parvint au bout de son discours, le jeune homme souriait toujours. Cela l'irrita.

— Eh bien, dit-elle, es-tu d'accord ? Tu te glisses dans sa cellule, dans la nuit, tu mets ses vêtements, tu suis les soldats…

— Mais oui, dit-il, je suis d'accord. Tout ce que vous voulez… Je ne vous ai pas écoutée.

— Tu ne m'as pas écoutée ! reprit-elle avec colère.

Mais il l'interrompit :

— Non, dit-il, je n'entendais malgré moi que votre voix. Pourrais-je avoir à manger ? J'ai faim.

La Futura hésita, sembla quêter l'approbation du nain, puis soudain elle se décida :

— Bon, dit-elle, viens, tu vas dîner avec moi. Tu vas faire un bon repas avec du vin comme tu n'en as jamais bu et comme tu n'en boiras plus jamais.

Effectivement, ce soir-là, Gabriele fit le meilleur repas de sa vie, arrosé du meilleur vin de Chypre qui existât en Italie. Il en but beaucoup et La Futura l'imita. Ils étaient dans la chambre désordonnée et somptueuse de La Futura, îlot de satins, de soies et de chaleur égaré dans les murs décrépis d'une vieille maison du faubourg ; et au coin du feu de bois, la chaleur des flammes et du vin aidant, le garçon et la femme se retrouvèrent bientôt joue à joue, puis bouche à bouche, et Gabriele sut vraiment ce que c'était que le plaisir. Et jamais, sans doute, La Futura ne se donna-t-elle tant de mal pour le prodiguer à un homme, et jamais sans doute n'y trouva-t-elle une telle volupté et une telle amertume.

Le comte Alexandro Di Palermo marchait de long en large dans sa cellule. Le geôlier l'avait rassuré : tout allait bien, mais il trouvait que cette Futura se faisait bien attendre. Bien sûr, il n'était pas question qu'il mourût, lui, Alexandro, fils du comte Di Palermo, futur comte lui-même ; il avait bien trop d'argent pour cela. Néanmoins, cette catin se faisait attendre. Lui, Alexandro Di Palermo, attendait le bon plaisir d'une catin et du benêt, du gibier de potence qui prendrait sa place ! L'idée des fusils braqués sur lui lui fit courir un petit frisson désagréable dans le dos. Dieu merci, il n'aurait pas à affronter cela, car en plus de ses tares diverses, il était lâche. Et c'était pendant son sommeil qu'il avait tué ce capitaine autrichien. Mais cela, même son père l'ignorait. Cependant, le jour se levait et ses pensées étaient moroses. Aussi, lorsque la porte grinça, il se dressa d'un bond, le visage mauvais.

La Futura était pâle dans le petit matin, et le grand garçon derrière elle était pâle aussi, les yeux cernés, comme s'il avait su. Alexandro eut envie de rire à voir ce grand dadais se tenir si droit, et, apparemment, si fier de lui-même dans la cellule. Tout à l'heure, il ne serait plus qu'un petit tas sanglant sur les pavés de la cour.

— Tu arrives tard, La Futura ! dit-il avec rage. On te paie assez cher, non ?

— Mieux vaut tard que jamais, dit La Futura. Déshabille-toi, dit-elle au jeune homme derrière elle.

Et les deux hommes commencèrent ensemble à se déshabiller. Le jeune homme posa sa chemise de toile écrue et Alexandro sa chemise à jabot ; le jeune homme enleva son pantalon de lin grossier et Alexandro ses bottes de cuir et ses superbes culottes de soie. À présent ils étaient pratiquement nus l'un devant l'autre, et le regard de La Futura allait du corps blanc, maigre et mou du fils de Palermo au corps doré, élancé et vigoureux du paysan. Son regard était insistant mais si explicite qu'Alexandro le surprit, le comprit, et qu'il explosa de colère :

— Tu oses me comparer à ce manant ! dit-il.

Et, emporté par la colère, il lança la main vers La Futura, mais non sans plaisir car il avait toujours aimé frapper les femmes. Mais, avant qu'il ne l'atteignît, le rustaud avait tendu le bras à son tour et l'avait touché au menton. Alexandro Di Palermo tomba en arrière, se heurta à la voûte et resta proprement assommé sur le sol. La Futura fit un pas vers lui et s'arrêta :

— Qu'est-ce que tu as fait ? demanda-t-elle.

Gabriele, demi-nu, immobile, ressemblait à la statue d'un de ces lutteurs ramenés de Grèce par les Romains dans des temps révolus.

— Il a failli vous frapper, dit Gabriele. On ne vous frappera jamais devant moi, ajouta-t-il d'une voix rassurante.

Et il prit La Futura par les épaules et l'appuya contre sa poitrine. Elle avait le visage sur cette épaule nue, elle respirait sur cette peau l'odeur de la campagne, du soleil, et, plus tenace et plus perfide aussi, l'odeur de leurs récentes amours. Elle se dégagea doucement, se détourna de lui et dit d'une voix basse :

— Rhabille-toi.

Et comme Gabriele tendait la main vers la chemise de dentelles, elle ajouta d'une voix plus dure :

— Non, remets tes vêtements, les tiens.

C'est ainsi qu'au petit matin du mois de mai 1817, on vit mourir de façon abjecte, sanglotant et hurlant qu'il n'était pas lui-même, le comte Alexandro Di Palermo. Quant à La Futura, on n'en entendit plus jamais parler. Non, plus jamais, à Naples. Quelqu'un prétendit l'avoir vue habillée en bourgeoise, au bras d'un grand homme blond, à Parme. Mais personne ne le crut.

Une partie de campagne

L'été 1940 fut magnifique et un ciel bleu, des blés blonds voyaient avec stupeur défiler sur la route une interminable caravane de fuyards. Pare-chocs contre pare-chocs, les camions, les voitures de sport, les limousines familiales se traînaient au rythme que leur imposaient les Stukas, plongeant parfois du ciel comme des vautours, afin de tuer. Néanmoins, dans cette colonne hétéroclite, les Rolls étaient rares, et celle de Mme Ernest Dureau, des Entreprises Dureau, s'attirait parfois les quolibets sarcastiques des autres conducteurs, pas mécontents, ces derniers, de voir que la guerre, elle, ne respectait pas la hiérarchie sociale, pas mécontents de voir que quelques riches n'avaient pas eu le temps ou la prudence de partir avant eux.

Hélène Dureau baissait modestement les yeux devant ces regards ironiques, comme elle les baissait un mois encore auparavant quand elle entrait en robe du soir, couverte de bijoux, au gala de l'Opéra, et que la double haie des curieux lui envoyait ces mêmes regards, à ce moment-là dénués d'ironie. Hélène Dureau était née Chevalier, ce qui l'avait mise toute sa vie à l'écart de la foule.

Dans la Rolls, en revanche, son jeune amant Bruno, qui, lui, sortait d'un foyer très modeste du Pas-de-Calais, avait tendance à redresser la tête et à faire le beau, aussi bien en ce jour d'été que dans les soirées parisiennes. Quelque chose en lui semblait malgré les circonstances proclamer : « Eh oui, je m'en suis sorti, moi. Je vis avec les grands, les puissants, les riches. » Et son statut de gigolo – loin de lui sembler méprisable – devenait visiblement le couronnement de grandes ambitions. Près de Bruno, la vieille baronne de Poquincourt, ayant miraculeusement retrouvé dans ses bagages un chapelet d'ébène – dont nul auparavant ne lui en avait soupçonné l'usage, ni la possession –, égrenait, les larmes aux yeux, d'interminables et incompréhensibles litanies. Sa bouche molle, luisante d'un fard trahi par la chaleur, s'agitait sans cesse et, de temps en temps, elle émettait un petit bruit de succion, un bruit mouillé qui exaspérait Hélène et Bruno. Il avait fallu une série de calamités imprévisibles, une série de trains manqués, de pannes mécaniques et de quiproquos pour que ces trois-là se retrouvassent sur cette route populaire. Mais en attendant, ils y étaient bel et bien, et deux fois déjà il leur avait semblé que les Stukas allemands se plaisaient à survoler la Rolls.

Un embouteillage avait dû se créer plus haut, car il y avait près d'une heure maintenant qu'ils étaient arrêtés au même endroit, en plein soleil, à trois mètres exactement de l'ombre délicieuse d'un platane ; trois mètres occupés par une vieille Rosengart, deux vélos et une charrette à bras. Inconsciemment, Hélène Dureau laissait son regard s'appuyer sur la nuque bronzée et blonde du jeune homme à la charrette. Il était appuyé aux brancards, il fumait une cigarette avec nonchalance, et rien dans son attitude ne signifiait qu'il se crût ailleurs que dans son champ. Son corps était long, harmonieux, et Hélène se prit à craindre qu'il ne se retournât : il était sans doute affreux. « C'est bien le moment, pensa-t-elle, de regarder un jeune homme... », et elle détourna les yeux, mais trop tard, car Bruno avait suivi son regard et ricanait déjà.

– Vous regrettez la Rolls, chère Hélène ? Vous préféreriez un moyen de transport plus rustique ?

Son visage généralement pâle et trop fin sous ses cheveux noirs, brillants, était devenu rouge, et dans sa voix pourtant soigneusement surveillée venaient de se glisser – grâce à la colère – quelques décibels de vulgarité. Bruno était bon amant, relativement courtois, mais il avait l'agressivité tout à fait commune ; et Hélène, qui se rappelait parfois avec délices des scènes atroces, avec d'autres, lui en voulait toujours lorsqu'il cessait d'être aimable.

— Encore heureux que nous ayons cette Rolls, dit la vieille baronne avec vigueur. Au moins la carrosserie nous protège-t-elle.

— Absolument pas, dit Bruno, ne vous y fiez pas : la moindre balle la traverserait comme du papier.

La nouvelle dévote lui jeta un regard angoissé, au bord du désespoir, et Hélène vit avec surprise trembler cette bouche généralement si péremptoire. Depuis trente ans à présent que la vieille baronne faisait la pluie et le beau temps dans le Tout-Paris, elle ne pouvait que rester stupéfaite, désemparée de voir que les Stukas du Führer n'observaient pas la même déférence.

— Mais que faisons-nous là-dedans ? s'enquit-elle en larmoyant mais la voix révoltée. C'est trop d'injustice !

En effet, songea Hélène, pour une femme qui interdisait que l'on parlât politique chez elle, qui savait tout sur le surréalisme et rien sur le national-socialisme, pour une femme qui avait de si charmants amis allemands et qui avait récité pendant cinq ans du Heine dans les matinées poétiques, pour une femme enfin qui depuis toujours encensait Wagner, ces mitraillades ne pouvaient être qu'une funeste erreur. Elle était persuadée, pensa Hélène, amusée, qu'il lui eût suffi de paraître sur la route et de montrer son visage aux vilains pilotes, hélas ! trop lointains, pour qu'ils s'en allassent en battant des ailes en signe d'excuse.

Un léger mouvement secoua la colonne, et Hélène soupira de soulagement, remit dans son sac un mouchoir trempé dont elle s'essuyait le visage depuis une demi-heure. On allait rouler peut-être plus vite, le vent frais les ferait revivre… Mais à peine le chauffeur avait-il embrayé que le grondement recommença. C'était ce vol de guêpes, ce ronron si inoffensif, si régulier, si vite transformé en un bruit assourdissant avant de devenir ce feulement, ce cri d'animal supplicié lorsque, toute colère déchaînée, les Stukas piquaient vers la foule. Ils venaient de loin, ils venaient de Paris ou d'Allemagne, et tout le monde se retourna dans cette direction machinalement, sauf Hélène qui venait de voir enfin de face le visage du jeune homme blond. Il était beau – contrairement à ses pronostics –, il avait un visage ouvert et insouciant, tanné par le soleil, et sans aucune raison cette mâle beauté rassura Hélène.

— Mon Dieu, ça recommence… Les voilà ! s'écria la voix plaintive de la baronne.

Et elle reprit le chapelet entre ses mains baguées tandis que malgré lui, à son insu, Bruno rentrait la tête dans ses épaules. Le jeune homme inconnu baissa les yeux un instant, et son regard croisa celui d'Hélène et s'y fixa, l'air étonné. Pendant une seconde tout sembla pétrifié car, à part ces deux-là, tous ces gens n'étaient qu'une seule attente, une seule oreille accueillant avec une fascination horrifiée l'arrivée inexorable de l'essaim d'abeilles. Puis un enfant cria quelque part, et, recouvrant l'usage de leurs membres, des dizaines d'animaux affolés, à peine humains, se précipitèrent vers les fossés. La baronne, déjà, avait ouvert la portière, oubliant totalement que cela lui était impossible sans l'aide de son chauffeur. Bruno s'était relevé du siège et poussait la baronne sans même remarquer l'immobilité tranquille de sa maîtresse car, à travers la vitre qui les séparait, le jeune homme avait souri, comme à une vieille connaissance. Et Hélène, malgré elle, sentait sa bouche s'étirer et lui souriait à son tour. La voix de Bruno, hurlant du fossé, la réveilla.

— Mais que fais-tu ? cria-t-il. Tu es folle !

Elle tourna la tête vers lui machinalement, le jeune homme aussi, et, comme à regret, ils se dirigèrent ensemble vers le même arbre. Bruno jeta un regard furtif, affolé et furieux vers le jeune homme, mais la peur était plus forte que toute jalousie, et, tandis que l'air se déchirait au-dessus de leurs têtes, tandis que le bruit révolté et atroce des moteurs surmenés devenait la seule réalité, il mit sa tête sur le sol et ses mains sur sa tête. La baronne, à plat ventre elle aussi, révélait dans cette posture chez elle inaccoutumée des rondeurs vaguement cubiques qui firent sourire, une seconde, Hélène. Elle s'était elle-même allongée mais sur le côté, appuyée à son coude comme sur une plage, et elle sentit le soleil brûlant à travers les feuilles lui chauffer la joue et l'oreille, avant que son regard ne se fixât sur un de ces avions noirs qui, suspendu au-dessus d'eux, comme immobile, semblait prendre sa respiration avant de plonger. Il était petit et noir sur ce ciel blanc de chaleur, il était insolent et ridicule, il était tout à coup comme un jouet prétentieux. Le jeune homme, accoudé comme elle à deux mètres de là, lui aussi, semblait fixer le même avion.

Il y eut un instant de répit avant que l'avion ne se décrochât, cédât brusquement à l'attraction terrestre et, contre son gré, semblait-il, se précipitât, vaincu, vers leur arbre. Elle ferma les yeux sous le bruit, leva machinalement la main vers son oreille, et aussitôt la terre sembla secouée de nausées irrépressibles, un tacatac frénétique hacha les brins d'herbe, fit voler des morceaux de peinture sur la belle Rolls abandonnée, et, ne pouvant supporter de voir cette chose énorme et préhistorique, cette chose de fer qui voulait sa mort, Hélène se recroquevilla et s'accrocha au tronc d'arbre. Elle serrait le bois rugueux entre ses mains, elle sentait sous ses doigts l'écorce tiède, elle ne se rappelait pas avoir jamais rien aimé autant que cet arbre. Dans un long sifflement, l'avion se redressait à présent, se lançait victorieusement vers le ciel tandis que des cris, des plaintes, des appels s'élevaient déjà autour d'eux. De sa place, Hélène, les yeux toujours clos, entendait les sanglots éhontés de la baronne et le claquement des dents de Bruno dont elle devinait le visage convulsé par la peur, comme elle le connaissait par la colère. L'avion allait revenir, elle le savait, ce n'était qu'un répit. « Mon Dieu, pensa-t-elle, je vais peut-être mourir entre ces deux-là, ces deux personnages ridicules, mesquins... Si je suis blessée, ils ne sauront pas me porter secours, si je meurs leurs visages ne m'aideront pas à passer le pas. » Et, une seconde, elle eut une vision de sa vie passée, de sa vie présente et à venir, si lamentable et si dépourvue de chaleur que les larmes lui vinrent aux yeux. Elle releva la tête et les essuya avec colère. Elle ne voulait pas montrer aux autres ces larmes qu'ils attribueraient tout aussitôt à la peur, elle ne voulait pas que même dans ses dernières minutes ils puissent la croire une seconde de leur espèce. Et pourtant...

— Il revient ! Il revient ! cria la baronne.

Relevant la tête, Hélène revit très haut, encore plus haut que la fois d'avant, semblait-il, le robot meurtrier. Quelqu'un en elle, une petite fille trop protégée, se mit à gémir et à prier un Dieu qu'elle avait oublié depuis longtemps. Il lui serait insupportable de réentendre ce vacarme, ce cri des moteurs, il allait lui arriver quelque chose d'autre, de presque pire, une crise de nerfs, une panique, un élan fou furieux qui la ferait courir sur la route à la rencontre des balles qu'elle voulait fuir. C'est alors qu'une ombre s'interposa entre elle et ces rayons ingénus du soleil, et que le jeune homme blond s'agenouilla à ses pieds.

— Ça secoue drôlement, dit-il. Vous n'avez pas trop peur ?

Il y avait de l'indulgence dans son ton, une gentillesse confiante, comme s'il eût trouvé, lui, ridicule toute cette comédie, et qu'il y eût en effet un degré convenable, justifié, de peur à avoir. Avoir peur de mourir était sûrement avoir trop peur, d'après son expression.

— Ils vont s'amuser encore cinq minutes, et puis ils repartiront, dit le garçon en s'asseyant et en appuyant la tête contre le tronc d'arbre, mais votre Rolls est rudement abîmée.

Il était au-dessus d'elle et, en renversant le visage, elle le voyait d'en bas. Elle voyait la chemise à carreaux ouverte sur le cou solide, et elle observait avec étonnement la mâchoire à peine épaisse, souple, et qui ne se crispait même pas maintenant que l'avion arrivait.

— Cette fois-ci, cette fois-ci, c'est pour nous ! hurla la baronne.

Et en effet le bruit était pire qu'il ne l'avait jamais été pendant ces deux jours de débandade. Elle n'était plus rien d'autre que la proie de ce vacarme, elle allait mourir, elle était morte. Et quand le garçon se laissa choir sur elle, elle pensa un instant que c'était le début de son ensevelissement. Elle sentit le corps dur tressaillir et, pour ne pas crier, elle appuya sa bouche sur un bras musclé et couvert de poils blonds. « Il a une odeur d'herbe », songea-t-elle vaguement, tandis que les battements de son cœur lui revenaient peu à peu aux oreilles. L'avion était loin à présent. Elle ôta sa bouche du bras inconnu et bougea un peu la tête. Le corps au-dessus d'elle bougea à son tour et versa sur le côté, l'arrachant ainsi à ce noir obscur et bénéfique où elle avait été enfouie. Elle vit tout d'abord les taches sur sa veste beige, des taches rouges dont elle se demanda stupidement la provenance avant de comprendre. Le garçon était allongé à côté d'elle, très pâle, les yeux clos, il avait une blessure à la hauteur des côtes d'où le sang giclait doucement ; et elle réalisa tout à coup que c'était elle qui aurait dû porter cette boutonnière écarlate ; et que ce beau paysan en se jetant sur elle la lui avait épargnée.

— Comment vous appelez-vous ? murmura-t-elle avec passion.

Car tout à coup, plus important que tout, il fallait que cet homme vécût, qu'elle sût son nom, et qu'en le rappelant à voix basse, en le suppliant, elle le gardât sur terre.

— Quentin..., dit-il.

Et il rouvrit les yeux, esquissa une petite grimace tout en dirigeant une main hésitante vers sa blessure.

— Tu n'as rien ? disait la voix de Bruno derrière elle, une voix déformée et lointaine qu'elle ne reconnaissait plus.

Elle ne répondit pas mais mit sa main avant celle de Quentin sur la plaie ouverte, resserra ses doigts sans dégoût dans le sang tiède pour en empêcher le flux.

La ferme sentait le champignon, le feu de bois et la lessive. Assis précautionneusement, les jambes repliées, sur les tabourets de la cuisine, la baronne et Bruno faisaient la tête. Et dans la chambre trop grande, couverte d'affiches de cyclistes et de footballeurs, Hélène, attentive, regardait dormir le jeune homme, en compagnie de sa mère. Le pansement faisait une bosse sous le drap et, de temps en temps, l'une des deux femmes allait vérifier s'il restait blanc. Plus loin, très loin, à un millier de kilomètres, au Portugal, un énorme transatlantique attendait qu'ils montassent à bord, mais ce bateau, ce port, cette Amérique lointaine (pourtant bien connue d'elle) apparaissaient irréels à Hélène. La vie, la vie vraie, c'était cette chambre, et le caquètement des poules sous la fenêtre, et ce brûlant silence de la campagne vers 3 heures, l'été, ce silence qu'elle n'avait jamais connu. Il n'y avait plus dans sa tête la moindre trace de plan pour les jours à venir, pas plus que le moindre souvenir de ce qui avait été une vie fort remplie, pendant quatre décades. Cette vie-là s'était terminée sous cet arbre, dans un hurlement d'avions. Et distraitement, passivement, Hélène se disait qu'elle devait absolument changer de veste, cette veste où le sang à présent était devenu marron, brunâtre, laid à voir.

La femme à côté d'elle se leva un instant avant qu'elle n'entendît la voix du blessé, et Hélène au passage admira les presciences de l'instinct maternel. Le garçon s'était soulevé sur un coude, il les regardait l'air étonné, puis, en la reconnaissant, enchanté :

— Vous n'avez rien ? demanda-t-il.

Hélène sourit en secouant la tête.

— Quentin, dit la mère, tu vas mieux ?

Il tâta son côté d'un geste incrédule sans quitter Hélène des yeux. Le soleil envoyait un rayon doré qui coupait la chambre en deux et sciait en même temps le bois sombre du lit et le torse nu de Quentin. Sa poitrine était couverte de poils blonds, « comme son bras », se rappela Hélène tout à coup, et, à sa grande surprise, elle se sentit rougir. Comment pouvait-on poser un regard sensuel sur un jeune homme qui vous avait sauvé la vie et qui gisait sans défense, sans aucune défense contre des shrapnels ou des baisers étrangers ?

— Vous allez rester un moment ? demanda-t-il.

Mais cette question ressemblait beaucoup à une affirmation, tant la voix était gaie.

La baronne de Poquincourt s'énervait, visiblement. Elle se promenait de long en large dans la grande cuisine au carrelage inégal et sur lequel de temps en temps elle butait, ce qui ôtait toute majesté à sa célèbre démarche. Bruno, lui, avait étendu ses jambes devant lui, les mains à plat sur ses genoux, dans une position qui eût plu dans un fauteuil club ou un tabouret de bar, mais qui ne convenait pas avec cette chaise de paille. En vérité, les cachemires de Bruno tout autant que le manteau de Carven de la baronne perdaient un peu de leur élégance dans ce décor rustique, et Hélène se demanda si elle-même n'avait pas ridiculement l'air d'une grande bourgeoise égarée. Pour la première fois de sa vie, sa fortune lui sembla gênante. Et pourtant combien d'hospices et d'hôpitaux n'avait-elle pas inaugurés au bras de quelque brillant ministre, lorsque les affaires de son époux le demandaient... Il faut dire que ces jours-là elle était bienfaitrice et qu'aujourd'hui elle était quémandeuse. Le sang de Quentin avait coulé à la place du sien. Et bien qu'on ne fût qu'à quelques centaines de mètres de la grand-route, dont on entendait encore le bourdonnement, elle se sentait très loin de son univers habituel : il n'y avait pas de téléphone dans cette ferme, il n'y avait pas de maître d'hôtel prêt à partir sur son ordre, et la Rolls, elle, devait encore dresser sur la route ses chromes inutiles et martyrisés.

— J'espère que ton sauveur va mieux, dit Bruno d'une voix doublement sarcastique.

La baronne s'arrêta sur un pied avec, elle aussi, un air de rancune. Elle avait l'air d'une poule faisane ainsi, à laquelle on eût joué un vilain tour, dérobé les œufs, peut-être..., et Hélène eut envie de rire. Ils la regardaient tous deux comme si elle eût délibérément – et dans des circonstances choquantes – fait une fugue avec un gigolo. « Après tout, j'aurais pu mourir », se dit-elle, et elle songea rapidement qu'ils eussent peut-être préféré transporter son cadavre dans la Rolls qu'être privés de celle-ci. Bruno avait-il quelque affection pour elle, en dehors des satisfactions de vanité et des mille commodités financières que lui octroyait leur liaison ? Trouvait-il à l'amour – quand ils le faisaient – un autre charme que celui de remplir brillamment son rôle de mâle ? Il était « bon amant », comme on disait à Paris, mais Hélène n'avait jamais très bien su ce que cela voulait dire.

— Comment allons-nous repartir ? s'enquit la baronne, reposant son second pied sur le sol et changeant ainsi sa posture interrogative en une posture assurée et revendicatrice.

— La Rolls est bousillée, dit Bruno. Il n'y a pas une voiture aux environs. Tous ces pauvres gens ont pris la fuite comme des lapins, ajouta-t-il (non sans une belle inconscience, car enfin, que faisaient-ils d'autre, tous les trois !).

— Et vous me croirez si vous voulez..., reprit la baronne, dont le chapelet, remarqua Hélène, avait disparu probablement dans le sac de lézard vert qu'elle tenait jalousement contre elle.

Sans doute une ferme isolée, à ses yeux, était-elle aussi dangereuse qu'un cabaret mal famé... Le toit de tuiles lui procurait quand même quelque aplomb car sa voix était frémissante d'indignation quand elle poursuivit :

— ... il n'y a pas un téléphone à moins de huit kilomètres. C'est insensé !

— De toute manière, que ferions-nous du téléphone ? demanda Hélène. Les lignes doivent être coupées...

Elle s'assit sur une chaise à côté de Bruno et se tourna vers la cheminée instinctivement, comme devaient le faire ses occupants habituels.

— J'ai envoyé Edmond aux nouvelles, dit la baronne en reprenant sa marche. Mais il ne m'a pas caché qu'il allait sans doute prendre un train quelque part. Il ne faut pas compter sur lui. D'ailleurs, Hélène, depuis le début je vous l'ai dit : votre chauffeur ne m'inspire aucune confiance. Si vous aviez pris, comme je vous le conseillais, celui de Lea Carlivil…

— Croyez-vous qu'il soit nécessaire d'évoquer le chauffeur de Lea ? demanda Hélène plaintivement. Je ne sais pas ce qu'il faut faire. Je ne peux pas demander…

Elle s'arrêta et ouvrit les mains en signe d'impuissance. Pour une fois, elle ne pouvait rien demander à Ernest Dureau, l'efficace et décidé Ernest Dureau, son époux, celui qui depuis des années organisait tout dans sa vie matérielle – et peut-être même, pensait-elle parfois, dans sa vie sentimentale. Il avait une sorte de brutalité dans la complaisance qui enlevait à ce terme toute son équivoque générosité.

La mère de Quentin descendait l'escalier. « Elle a l'air d'une très vieille femme, pensa Hélène, mais sans doute n'a-t-elle que quarante ou cinquante ans… » Elle vit avec gêne le regard fixe et brillant de l'impitoyable baronne de Poquincourt détailler le corps épais, le visage tanné, ridé par le soleil, les vêtements informes, sans couleur définie.

« En fait, elle doit avoir mon âge ! » pensa-t-elle, avec aussitôt un mouvement de recul.

— Mes pauvres dames, je ne vois pas bien ce que vous allez faire, dit la femme. Le docteur a dit tout à l'heure qu'il n'y avait plus un train qui marche.

— Mais il doit bien y avoir un hôtel quelque part, dit Bruno. Même un petit hôtel, avec un téléphone...

La femme le regarda avec surprise et un léger amusement, car il avait parlé de cette voix impérieuse, affectée, un peu trop haut placée dont il usait avec les maîtres d'hôtel, et qui – Hélène s'en rendait compte pour la première fois – lui donnait un vague air châtré, châtré et insolent, ce qui n'allait pas ensemble.

— Mon pauvre monsieur, dit la femme en s'asseyant à son tour à côté d'eux (à la surprise vaguement choquée d'ailleurs de la baronne qui oubliait tout à fait qu'elle n'était pas chez elle, avenue Henri-Martin)... Mon pauvre monsieur, le premier hôtel est après Giens, à quinze kilomètres, et les propriétaires l'ont fermé il y a dix jours. Ils l'ont même barricadé avec des planches...

Et elle se mit à rire avant d'ajouter comme une excuse :

— C'étaient des Parisiens... (le terme de « Parisiens » incluant à l'évidence une notion de couardise).

— Mais on ne peut quand même pas rester là, dit la baronne, de nouveau arrêtée sur ses deux pieds gracieusement en équerre.

C'était sa position favorite quand elle formulait ses diktats, quand elle décrétait, par exemple, qu'« un tel était irrecevable, ou telle pièce décidément inécoutable ». C'était curieux de découvrir à la campagne, dans ces circonstances qui s'y prêtaient si peu, le mécanisme de comportements pourtant si familiers. Une adolescente amusée, critique et facétieuse se réveillait chez Hélène, pour la première fois depuis longtemps.

— Il n'y a pourtant que ça à faire pour le moment, dit la femme avec bonne humeur. Tant que la route est comme elle est...

— Mais vous plaisantez ! C'est impossible !...

La voix de la baronne était révoltée comme devant une invitation à un bal musette, ou comme si cette fermière eût absolument tenu à héberger ces trois énergumènes trop bien habillés, et qui avaient failli lui coûter la vie de son fils. Hélène s'attendait même à ce que la baronne s'écriât : « N'insistez pas ! », mais, pour une fois, elle se tut.

— J'ai deux chambres au-dessus, reprit la fermière d'un ton égal. Celle de mon fils aîné, et celle du valet, qui sont à l'armée, eux. Ils ne m'ont laissé que Quentin pour les travaux. Et le blé qui n'est pas rentré..., ajouta-t-elle d'une voix soudain anxieuse.

— J'avoue que je suis brisée...

La baronne de Poquincourt tournait casaque. Elle avait toujours été d'une grande célérité lorsqu'une volte-face s'imposait à elle. Sa voix de grondante devint plaintive, sa main se desserra de son sac, et elle baissa le front, image de la femme élégante en détresse.

— Il faut que je m'allonge, dit-elle encore.

Et elle se dirigea vers l'escalier, s'appuya même au bras de la fermière qui s'était levée – comme elle s'appuyait, lors de ses lumbagos célèbres, au bras des infirmières de l'hôpital américain. Hélène suivit, et Bruno, l'air écœuré, ferma la marche. Le soleil commençait à décliner et, par la fenêtre, Hélène vit les ombres des platanes allongées démesurément dans les champs.

Des dizaines de télégrammes furent envoyés de la poste de Giens où Bruno, juché sur un vélo archaïque, parvint le lendemain matin. Dans une des chambres (sans meubles et sans le moindre confort), la baronne de Poquincourt, bien que révoltée, avait ronflé bruyamment toute la nuit pendant qu'à côté Bruno, amer et furieux, cherchait querelle à Hélène, parfaitement indifférente. Elle avait l'habitude de lui répondre vertement quand il était dans ces humeurs, mais ce soir-là elle le laissa parler sans réagir, ce qui acheva de l'exaspérer. Cette course à vélo, à l'aube, ne le réconcilia pas avec la vie, et quand, à son retour, sans lui demander autrement son avis, la fermière, accompagnant son geste d'un péremptoire et imparable « Puisque Quentin est malade… », lui mit une fourche entre les mains et partit devant lui, vers un champ moissonné la veille, il crut à un cauchemar. Mais lorsqu'il revint, vers 4 heures, courbatu et cramoisi, s'il put voir la révolte et la compassion dans l'œil noir de la baronne – en train d'écosser des petits pois, en gants de chevreau –, il crut distinguer une horrible gaieté dans l'œil gris d'Hélène, elle-même préposée aux fourneaux. Elle répondait à tue-tête aux banalités du nommé Quentin, toujours allongé sur son lit à côté, et ses joues étaient roses. Bruno remarqua avec amertume qu'elle avait rajeuni de dix ans. Il eut à peine la force d'avaler une soupe et une tranche de jambon trop salé avant de s'effondrer sur ce lit dont il avait tant médit la veille et qui lui sembla ce soir-là du plus grand confort. Et son sommeil fut si profond qu'il n'entendit pas Hélène lorsqu'elle se leva dans la nuit, pas plus qu'il ne l'entendit chuchoter dans le noir de la chambre à côté, pas plus qu'il n'entendit la légère plainte de plaisir qui lui échappa à l'aube, à l'instant où les coqs commençaient à éveiller la campagne.

Pendant trois jours, et grâce à la grande débâcle de 1939, les trois exilés découvrirent et apprécièrent différemment : les charmes de la campagne pour la baronne, les travaux manuels pour Bruno, et ceux de l'amour pour Hélène. Le télégraphe aidant et, déjà, certains contacts bienveillants avec l'armée d'occupation, Ernest Dureau parvint à affréter une limousine chargée de ramener à bon port, c'est-à-dire à Lisbonne, tout ce petit monde.

Mais l'ordre ne régnait pas complètement en France, les transmissions se faisaient mal, et c'est en toute bonne foi que le lieutenant Wolfgang Schiller, jeune pilote de la Luftwaffe, ayant aperçu une limousine en zone interdite, la mitrailla abondamment, et par trois fois. Après son passage, et tandis qu'il cinglait vers un ciel bleu et doré comme en possède seule la Touraine, plus rien ne vivait à l'intérieur de la limousine.

Ces trois disparitions s'intégrèrent aux autres dans le petit monde des mélomanes parisiens. On les oublia vite et Ernest Dureau se remaria à New York, dès 1942. Seul Quentin, pendant quelques années, eut un léger pincement au cœur en croisant une Rolls sur la départementale 703. Mais au fond, il le savait bien, cela n'avait été qu'une aventure due aux circonstances, un caprice de femme riche.

À mi-parcours

Ce n'est qu'au douzième trou que Cyril Doublestreet se sentit mal à l'aise. Le soleil, bien sûr, tapait férocement sur les links du Country Club de Detroit, mais, en même temps que brûlant, Cyril se sentait glacé. Pourtant il n'avait rien : son méticuleux docteur l'en avait assuré récemment : il n'avait rien de plus que cinquante-cinq ans. Il soufflait et cela lui était d'autant plus désagréable que ni Joyce, ni bien entendu David Bohen, son nouveau sigisbée, ne semblaient le moins du monde fatigués. Il faut dire qu'ils avaient respectivement vingt-huit et trente-deux ans, et qu'il fallait bien se résigner parfois à ce que « l'âge de vos artères » – comme il avait l'habitude de le dire lui-même – ressemblât furieusement à votre âge d'état civil... Depuis le neuvième trou, d'ailleurs, le jeune Bohen lui lançait des coups d'œil furtifs et satisfaits comme pour vérifier chaque fois le bien-fondé de son ambition la plus secrète : celle de semer ce vieux beau, Cyril, avant la fin du parcours. Il voulait sans doute le disqualifier définitivement aux yeux de la belle Joyce ; et si Cyril Doublestreet avait eu la moindre illusion en commençant sa cour envers celle-ci, il aurait pu la perdre ce matin. Mais il était déjà parti perdant.

Cela faisait cinq ans maintenant qu'il partait perdant dans ce jeu de conquêtes où il avait été « *the winner* » de si longues années. Il était résigné depuis cinq ans à ne pas conclure, à ne pas insister, bref, résigné à devenir et à rester « le charmant Cyril Doublestreet qui avait été si bel homme ». Ce plus-que-parfait était désormais le seul temps qu'il pût conjuguer sans ridicule ; le présent et le futur avaient perdu leurs auréoles. Non, il n'était, et ne serait pas, l'amant de Joyce. Mais, de cette décision involontaire mais ferme, le jeune Bohen ne pouvait être au courant, et Cyril commençait à trouver choquante la férocité du jeune homme. Ils étaient sortis tous les trois la veille, avec Sarah, une amie de Joyce, et ils n'étaient rentrés qu'à 5 heures du matin. Beaucoup de champagne, beaucoup de bruit, aussi le réveil à l'aube avant d'aller au golf avait-il été très éprouvant. Et l'admiration railleuse qu'avait affichée le jeune homme en le voyant arriver à l'heure n'avait pas tout à fait plu à Cyril. « Comment ? Déjà debout ? Mais vous êtes merveilleux, vous savez ! » Car Joyce, malgré elle, lui avait jeté un regard plus apitoyé qu'enthousiaste.

C'était à lui. Cyril leva son club en souriant et l'abattit avec force sur la balle qui, l'espace d'une seconde, avait ressemblé à la tête de Bohen. « Joli coup », dit Joyce aimablement en se tournant vers lui. Et il vit ses cheveux blonds, ses yeux bleus, sa bouche fraîche, carnivore, son corps mince, hâlé, tourné vers lui. Il vit tout cela avec, déjà, une impression de recul ; il l'admirait comme un esthète, non plus comme un homme à femmes. Joyce dut sentir ce qu'il y avait d'éloignement et de regret dans ce regard, car elle prolongea son sourire et s'appuya de la main à son épaule. Elle avait un instinct sûr et un cœur charmant ; elle avait la jeunesse généreuse, contrairement à ce petit crétin de David.

Celui-ci venait d'accomplir un coup magistral et déjà il repartait d'un pas vif. Cyril le suivit en sifflotant : ses jambes tremblaient, son cœur battait trop fort à présent et, en arrivant au troisième trou, il se sentit brusquement mal au cœur. Au moment de frapper sa balle, les bras en l'air, il eut un éblouissement. « Je n'arriverai jamais au bout du parcours… », pensa-t-il brusquement avec horreur. Que pouvait-il prétexter ? Un coup de téléphone urgent à donner un samedi ? Personne n'y croirait : depuis toujours, il était Cyril le désœuvré, le charmant Cyril qui, s'il oubliait un rendez-vous, se bornait à envoyer des fleurs le lendemain, un Cyril qui ne se contraignait à rien et qui en tout cas n'avait jamais interrompu ses loisirs pour un motif sérieux. Les petits mamelons du golf semblaient danser devant lui, à des kilomètres ; tout ce vert lumineux l'écrasait et le profil bronzé, les cheveux de jais du beau jeune homme lui semblaient ceux d'un funeste archange. Il pouvait évidemment envoyer la balle beaucoup trop loin, mais le caddie, il le savait, se précipiterait pour la chercher, il ne gagnerait ainsi que trois minutes insuffisantes. Cyril Doublestreet jeta autour de lui un coup d'œil traqué : à trois cents mètres du golf brillaient les vitres des premières maisons. Cyril vit une femme pousser les vitres de la main, ouvrir sa fenêtre en grand et se pencher une seconde pour respirer l'air du matin avant de disparaître. La femme avait un turban rose, d'un rose ravissant, et c'est peut-être cette couleur tendre qui le décida. Le club de Cyril fendit l'air et les deux jeunes gens s'exclamèrent en même temps : la balle, après une envolée superbe, était allée s'engouffrer droit dans la fenêtre ouverte.

— Mon Dieu ! dit Cyril. Quel imbécile ! J'ai glissé.

Joyce riait, et déjà le caddie tournait la tête vers lui, mais Cyril prit l'air vertueux :

— Bien, dit-il, je vais m'excuser moi-même, c'est la moindre des choses. Continuez sans moi.

Et il descendit le petit tumulus, le cœur content. Quel que soit l'accueil qu'il recevrait, il aurait tout loisir ensuite de le déclarer charmant, suffisamment pour ne rejoindre que trois quarts d'heure plus tard ses jeunes compagnons.

— On ne vous attend pas ? cria Bohen.

Cyril fit un grand signe négatif du bras en souriant. Il se sentait tout à coup rajeuni, et même curieux de voir quel visage s'abritait sous le turban rose. Peut-être était-ce une ravissante femme inconnue ?... Peut-être, comme Mady Christer, qui adorait la même couleur, la femme à la fenêtre serait-elle provocante et licencieuse ? Peut-être lui offrirait-elle un de ces longs gin-fizz glacés et pâles dont il rêvait depuis dix minutes ?

Il sonna à la porte de la maison, une maison semblable à toutes les petites maisons de campagne autour de Detroit ; machinalement il remit son foulard dans son col et se lissa les cheveux de la main. La porte s'ouvrit et, dans la pénombre, il ne distingua pas tout d'abord grand-chose. Il entendit la voix de la femme avant de la voir et il mit une minute à comprendre que c'était la femme de chambre tant la voix était jeune, insouciante et gaie.

— Je parie que c'est à vous, dit la femme en tendant la balle au bout de sa main. Entrez donc.

— Je m'excuse, dit Cyril en passant le seuil, je venais voir si j'avais fait des dégâts.

Il jeta un rapide coup d'œil derrière lui : de loin, de très loin à présent, les deux autres semblaient tournés vers lui, et, même s'ils ne le regardaient pas, il était encore visible à leurs yeux. Il entra donc précipitamment, décidé à tenir cette femme en haleine dix bonnes minutes.

— Je n'ai rien cassé au moins ? demanda-t-il.

— Si : un très vilain vase, dit la femme. Venez voir.

Et elle monta l'escalier devant lui en chantonnant. Cyril pénétra dans une chambre claire, reconnut aussitôt la fenêtre et s'arrêta, l'air consterné, devant les débris affreux de ce qui avait dû être effectivement une affreuse potiche.

— En effet, je suis désolé, dit-il en relevant la tête.

Et ce n'est qu'alors qu'il put voir le visage de la femme. Elle devait avoir quarante-cinq ans ; elle était brune avec un visage paisible, tendre même, sembla-t-il à Cyril, et un sourire plein d'humour.

— Comment avez-vous pu arriver jusqu'ici ? demanda-t-elle sans animosité. Généralement les joueurs lancent tout de l'autre côté.

— J'ai glissé..., commença Cyril, et il s'arrêta. Brusquement, il s'en rendit compte, il avait envie de dire la vérité à cette femme. Il y avait quelque chose d'indulgent et d'amusé dans ses yeux qui empêchait qu'on lui mentît. Ou qui, en tout cas, l'empêchait, lui, Cyril, de lui mentir.

— J'étais claqué, dit-il, je n'en pouvais plus de tout ce gazon, et je ne savais pas comment me défiler. Alors j'ai visé la fenêtre, et par un coup de chance...

— Eh bien, vous auriez pu me tuer..., dit-elle en riant, apparemment pas le moins du monde étonnée. Vous n'avez pas honte ?

Elle s'était assise en prononçant cette dernière phrase et, d'un geste tout à fait mondain, avait invité Cyril à en faire autant. Il s'assit aussitôt avec soulagement. « Si les patrons arrivent, pensa-t-il, j'aurai bonne mine avec mon club à la main, discutant le coup avec la femme de chambre... »

Elle dut sentir sa pensée car elle se mit à rire et à lui parler d'une voix rassurante.

— Les propriétaires de la maison sont en Floride, dit-elle. Je viens pour aérer une fois par semaine. Vous avez eu de la chance ; à un jour près vous deviez casser la vitre. Croyez-vous que cette potiche vaille cher ?

— Oh non ! dit Cyril aussitôt en ramassant les morceaux et en les faisant sauter dans sa main. Pas un dollar. Je suis antiquaire, voyez-vous. Cela dit, conclut-il avec honnêteté, c'est tellement vilain qu'il est possible qu'ils l'aient payée fort cher.

Elle se mit à rire, bougea la tête sur le côté, et le soleil éclaira de biais ses cheveux noirs et ses yeux d'un marron clair, à la limite de l'ambre. « C'était une très jolie femme, ou qui avait dû être une très jolie femme », pensa Cyril rapidement. Il était même étrange qu'elle fît ce métier. « Si elle avait été sa femme de chambre à lui, Cyril, il aurait eu vite fait d'en faire sa maîtresse et de l'installer chez lui », pensa-t-il aussi rapidement et avec gaieté. Il redressa le torse et fit son sourire le plus séduisant. Il n'était pas beau, bien sûr, mais, depuis cinquante ans, il avait eu le temps de savoir qu'il plaisait aux femmes, et surtout comment leur plaire.

— Que voulez-vous que je fasse ? demanda-t-il. Je vous laisse ma carte, mon adresse, ou un mot pour ces gens ? Dieu, quelle horreur... ! acheva-t-il en parcourant le décor des yeux.

Et en effet ce n'était que faux chippendale, tapis turcs et mauvaises reproductions.

— Vous n'avez pas soif ? demanda la femme d'une voix si polie que Cyril, malgré lui, se leva et, inclinant légèrement la tête, se crut obligé de se présenter.

— Mille pardons, dit-il. Je m'appelle Cyril Doublestreet. J'aurais dû commencer par là.

— Je m'appelle Mona, dit la femme en se levant à son tour et en se dirigeant vers le fond de la pièce. Qu'est-ce que je vous porte ? Il doit rester du jus de tomate, et peut-être un fond de gin.

— Vous croyez que vos patrons me paieraient à boire pour avoir cassé leur bibelot ? dit Cyril en riant.

— Oh non ! dit-elle. Ils auraient déjà appelé la police, mais suivez-moi.

Cyril la suivit dans la cuisine et, au passage, remarqua la courbe pleine des hanches de la femme, le cou solide, l'impression de vigueur calme qu'elle dégageait. Mais cette fois-ci ce n'était pas d'un regard d'esthète qu'il la parcourait des yeux, c'était bel et bien d'un regard alléché, reconnut-il en lui-même avec un mélange de gêne et de contentement. Avec son turban rose, sa blouse beige et ses mules, cette Mona était rudement plus excitante que la belle, diaphane et stylisée Joyce. La maison était à demi fermée, ombreuse et fraîche, et Cyril sentait son cœur battre plus vite que d'habitude. Mais ce n'était pas l'accélération de tout à l'heure, ce n'était pas le tempo de la fatigue mais un autre, bien connu, et qu'il croyait oublié.

Elle avait un verre de pamplemousse dans la main droite et, appuyée de la hanche à l'évier, le regardait de son œil chaleureux et pensif, en souriant toujours. Pourquoi souriait-elle ? De qui se moquait-elle ? pensa Cyril confusément en avançant la main et en prenant dans la sienne la main hâlée de l'inconnue. C'était une main forte, pleine et chaude, une vraie main de femme, une main qui se refermait sur la sienne à présent, tandis que le sourire disparaissait lentement, très lentement, à mesure que le visage de Cyril s'en approchait.

Une heure plus tard, Cyril Doublestreet rejoignit au bar du Country Club ses jeunes amis. Ils étaient assis avec les Norton, les Westwood et les Crosby, tous les amis de Cyril, et ils l'accueillirent par de joyeuses huées.

— Alors qu'avez-vous fait ? Comment était la dame ? plaisanta Bohen d'une voix condescendante mais vaguement outragée.

— Quand même, elle devait être superbe pour le retenir si longtemps…, dit Joyce un peu pincée.

— Ce bon vieux Cyril, toujours sur la brèche, ajouta Crosby en plissant les yeux.

Il s'assit sans rien dire. À sa grande surprise, ces allusions l'énervaient tout autant que si elles n'avaient pas été fondées. Il se rappelait de quelle manière, toute sa vie, le jeune Cyril Doublestreet avait raconté et commenté ironiquement ses faits d'armes, et, pour la première fois de sa vie, il s'en sentit un peu honteux. D'ailleurs comment oserait-il retrouver Mona demain soir, et rire avec elle s'il les laissait parler ?

— La balle était tombée au fond de la baignoire, dit-il en souriant. J'ai dû pratiquement démonter toute la tuyauterie pour la récupérer. Heureusement, les enfants m'ont aidé, ajouta-t-il vaguement.

Bohen eut un petit rire de commisération, Joyce détourna la tête, et ses amis, déçus, reprirent leurs cancans. Il n'était plus le héros du jour. Mais en se penchant un peu il voyait la fenêtre, là-bas, qui, grâce au soleil qui s'y réfléchissait, semblait lui faire un clin d'œil...

« Un an déjà »

Elle avait posé son manteau sur le canapé et, bien qu'elle sût être une des dernières, elle se donna un coup de peigne, lentement, devant la glace de l'entrée. Elle entendit un brouhaha dans le salon et elle distinguait déjà le rire hennissant de Judith, mais elle ne distinguait pas les autres voix.

C'était la première fois qu'elle le revoyait depuis un an et elle ne s'y attendait plus malgré la probabilité de la chose ; il avait fallu que Judith, après son invitation, répétât deux fois la même petite phrase : « Tu sais, chérie, j'ai invité Richard et sa nouvelle femme, ça ne t'ennuie pas ? Ce serait ridicule à présent, etc., etc. » Elle avait répondu : « Mais bien sûr, voyons, je serai ravie, tu sais que nous nous sommes quittés bons amis, ça ne m'ennuie pas du tout, au contraire. » Seulement Judith ne savait pas à quel point ce « au contraire » n'était que le faible reflet de la vérité. Si elle avait pu continuer sa phrase, elle aurait dit : « … au contraire, je ne vis plus depuis que nous ne vivons plus ensemble. Au contraire, mon seul espoir de revivre un jour repose sur lui, sur la possibilité tout à fait impossible qu'il m'aime à nouveau. » Mais, même à Judith, sa meilleure amie après tout, il n'était pas question de tenir ce langage. La séparation avait été rude pour elle, c'était un fait entendu, et chacun avait fort bien admis qu'elle en souffrît cruellement. Mais un an de désespoir représentait la limite admissible pour souffrir d'une séparation ; il était désormais entendu qu'elle était guérie de Richard, ou alors – et cet accord tacite-là n'était pas formulé – il était convenu qu'elle devait faire semblant. Déjà, inviter une femme seule à Paris, pour une maîtresse de maison, ce n'était pas si facile, ni si commode ; si par surcroît la femme seule se laissait aller à la mélancolie, cela devenait franchement impossible. Au bout de trois mois, Justine avait compris qu'il lui fallait rire si elle ne voulait pas être oubliée, et que du rôle d'épouse heureuse elle devait passer au rôle de divorcée gaie. Sur sa seule tête s'étaient réunies, semblait-il, les charges d'un couple : elle devait avoir à la fois l'indépendance et l'entrain, voire le côté désinvolte du mâle, et la douceur, la gentillesse, le côté confident de la femelle. Et c'était ce à quoi, jour après jour, et pour surnager dans cet océan de solitude où l'avait laissée Richard, elle s'était, elle, Justine, jadis femme heureuse, amoureuse, comblée, peu à peu astreinte.

Il lui avait semblé réussir, petit à petit ; de cette chose ronde, naturellement ronde et lisse dont le bonheur de vivre lui avait donné la forme, elle avait su extraire une silhouette plus aiguë, plus brillante, une femme armée, quoi, une femme « libre », comme ils disaient. Mais elle était peut-être la seule à savoir et à admettre, à force d'insomnies et d'oreillers mordillés dans le noir, que cette liberté-là s'appelait désespoir. Néanmoins, cette fière, moderne jeune femme, bâtie de bric et de broc à l'aide de quelques lectures, quelques exemples et quelques souvenirs, elle l'avait trimballée partout devant elle, pendant près d'un an à présent, sans que personne ne songeât apparemment à l'écarter de devant son visage, sans que personne ne songeât à lui dire : « Et toi, Justine, comment vas-tu ? » Sa famille, ses amis, sa concierge, son chef de bureau, tous semblaient reconnaître, avec une déférence nouvelle d'ailleurs, cette Justine élégante et débrouillarde ; et certains hommes semblaient aussi trouver du charme à cette image caricaturale de l'indépendance – tout au moins était-ce l'effet que, par moments, se faisait Justine à elle-même. Seulement, ce soir, il ne s'agissait plus d'obtenir l'adhésion d'une société tout entière désireuse de la lui donner, il s'agissait de confronter ce masque avec celui qui en avait provoqué la création, celui qui l'avait obligée à le porter (pour le renier, tel un Pygmalion à rebours), celui qui enfin savait – et ne pourrait pas se leurrer là-dessus – qu'il y avait un visage cru, à vif, désespérément familier quelque part sous ce masque ; quelqu'un que son autonomie ferait rire et sa gaieté à peine sourire : Richard ; Richard qui l'avait quittée dans ce même appartement un an plus tôt et à ce même endroit.

Elle se peignait très lentement à présent. Il y a un an, la femme dans la glace avait les cheveux moins blonds et une robe bleu pervenche, un peu niaise lui semblait-il, au lieu de ce ravissant tailleur coq de roche qu'elle voyait en ce moment. Cette autre femme était plus pâle, bien que son visage fût plus rempli, et ses yeux, au lieu d'être étincelants et sombres, soigneusement maquillés comme ce soir, ses yeux étaient éteints et pleins de larmes. Et l'autre femme surtout ne se peignait pas tranquillement, silencieusement devant une glace : ce soir-là elle distinguait à peine son propre reflet troublé par les larmes, tout entière suspendue qu'elle était à la voix froide à côté d'elle, une voix qui disait : « Il faut que tu comprennes vraiment que, cette fois-ci, c'est définitif. Et si je te quitte là, avec un parfait mauvais goût, devant tout le monde, c'est pour que les autres m'aident à te persuader que c'est bien fini. » Et il était vrai que Richard, qui n'était pas mesquin pourtant, avait été obligé de lui infliger cet affront public, de partir dès la fin du dîner rejoindre ouvertement sa belle maîtresse Pascale. Il avait fallu qu'elle se retrouvât en larmes, entourée de pitié et d'indignation, bref, il avait fallu que les autres, le monde, sanctionnassent cet abandon pour qu'elle-même se résignât à y croire.

Elle sortit son poudrier et se repoudra le nez sans grand enthousiasme. Son maquillage était au point, elle l'avait assez travaillé avant de sortir. Elle s'était maquillée pour Richard : elle avait allongé la forme de ses yeux, appuyé la courbe de sa bouche, accusé d'ombre ses joues exactement comme Richard aimait qu'elle le fît, un siècle plus tôt. Elle pouvait prétendre, depuis bien sûr, s'être maquillée pour Éric, pour Laurent et même pour Bernard, mais pas une seconde, dans aucun de ces trois visages, elle n'avait cherché à retrouver son reflet. Ce n'étaient pas des miroirs, c'étaient des vitrines ternes qu'ils lui avaient présentées, et ce soir elle allait enfin, pour la première fois depuis des jours et des nuits également insipides, elle allait se voir dans l'œil de quelqu'un d'autre.

Elle entra et, bien sûr, elle ne vit pas Richard tout de suite. Judith avait une voix gaie, animée, peut-être plus animée que d'habitude, et Justine se retrouva très vite en face de l'étrangère, « l'Autre », qui lui parut aussi terrible que par le passé. Elle avait toujours ce profil court, ce port de tête, cette voix insolente, et, à côté d'elle, souriant, d'un sourire un peu attendri – un sourire qui rappela tout à coup à Justine les sourires d'un vieil oncle trop affectueux –, il y avait Richard, le double de Richard, un homme grand, brun, élégant, un homme avec la même voix, les mêmes sourcils, la même main ferme que Richard. Justine lui sourit précipitamment et passa à un autre couple. Elle avait dû s'attarder plus qu'elle ne le pensait dans le vestiaire, car déjà Judith battait des mains, ameutait son petit monde, et l'on passa à table.

Ils étaient treize, quatorze avec elle, six couples plus ou moins unis, le si charmant cousin de Judith et elle-même donnant le triste exemple du célibat. Elle était assise du même côté que Richard, aussi ne voyait-elle pas son visage, ni son regard. Mais en face il y avait sa femme, la belle Pascale, qui tenait la table en haleine. Il n'avait pas perdu au change, vraiment. Pascale menait la conversation avec humour, amusement et férocité, une mèche de ses cheveux noirs battait son front, ses yeux brillaient, sa voix devenait rauque à force de rire. « Elle était le charme même », pensa Justine avec une sorte d'apathie. Son voisin lui faisait des compliments un peu plats qu'elle relevait à peine, elle se sentait étrangement déçue. Cette soirée qu'elle avait attendue toute la semaine comme un événement, cette soirée où il devait forcément se passer quelque chose et qui lui paraissait périlleuse, triomphante et aiguë, au-dessus des jours plats de la semaine, cette soirée était et resterait banale. Elle échangerait trois mots avec Richard, en souriant, et discrètement les autres approuveraient l'aménité de leur dialogue, puis elle rentrerait chez elle, lui chez lui, et Judith pourrait dire le lendemain à ses amis : « Tu sais, j'ai fait dîner ensemble Richard et Justine ; ça s'est très bien passé. Deux étrangers… C'est drôle, quand même. » Et peut-être même Judith échangerait-elle avec son interlocutrice quelques réflexions désabusées sur la fragilité de l'amour. Et tout à coup Justine avait envie que ce dîner s'achevât très vite, qu'il n'y eût pas de café, pas de cognac, pas un mot de cette conversation reconnaissante qu'après on tient généralement quelque temps dans le salon qui vient de vous nourrir. À bien y penser, cette comédie était odieuse car, malgré le convenu et le placide de tout cela, il n'empêchait que le seul homme qu'elle eût aimé, qu'elle aimât et qu'elle aimerait jamais, l'homme dont l'absence la mettait au désespoir depuis des mois, celui qui transformait sa vie en une suite de péripéties absurdes, il n'empêchait que cet homme était là, à quelques mètres d'elle, toujours invisible, aussi bien caché ce soir par trois visages qu'il l'était le reste de l'année par des kilomètres. Toute cette comédie n'empêchait pas qu'elle rentrerait chez elle le soir même, solitaire, malheureuse, battue, comme elle y était rentrée précisément un an plus tôt. Et qu'elle ne pleurât pas ce soir-là n'y changeait rien.

Après dîner, elle alla solliciter de Judith la permission de partir très tôt, « la fatigue, un rendez-vous urgent le lendemain matin ». Judith l'écoutait d'un air distrait ; des couples s'étaient égayés dans le salon, dans le petit bureau à côté, et elle les surveillait du coin de l'œil en bonne maîtresse de maison. Néanmoins, se rappelant quelque chose, elle tapota l'épaule de Justine affectueusement pendant dix secondes, avant que ce souvenir ne se précisât.

— Alors, dit-elle enfin gaiement, tu as revu Richard. Depuis combien de temps ?... Un an, déjà. Comment le trouves-tu ? Un peu fatigué, non ?

— Un peu, dit Justine du bout des dents.

Mais elle n'en pensait pas un mot ; Richard était toujours aussi beau, aussi séduisant ; il était toujours le superbe et l'infidèle Richard, celui auquel la liait un amour racinien dans une atmosphère à la Feydeau. Elle avait revu Richard, oui, et une fois de plus constaté sa défaite. C'était tout ce qu'elle aurait pu dire à Judith – si Judith s'en était souciée ce soir-là. Mais Judith, tout entière à son rôle de maîtresse de maison, ne voyait en elle qu'un rouage de sa soirée, et comme elle ne s'en sentait pas justement l'indispensable rouage, Justine quitta le salon à l'anglaise. Elle s'arrêta un instant dans le couloir avant le vestiaire pour remettre la lanière de son escarpin et, quand elle se redressa, elle avait déjà entendu la première phrase. La première phrase que disait la voix rauque et gaie de tout à l'heure, la voix triomphante du dîner, la voix de « l'Autre » :

— J'aimerais que tu comprennes à quel point c'est fini, et vraiment fini, disait cette voix. Ne m'oblige pas à te laisser en plan au milieu de tes amis. Est-ce qu'il faudra que je le leur annonce à tous pour que tu me croies ? Je ne t'aime plus, Richard. C'est réellement fini.

Il y eut une voix d'homme, haletante, suppliante, métamorphosée, une voix qui n'avait rien à voir avec la belle voix de Richard. Il y eut des mots qu'elle ne comprit pas, peut-être même un coup, un cri, des chuchotements malheureux. Elle ne bougea pas quand le couple rentra dans le salon par l'autre porte. Justine se secoua, vola jusqu'au canapé, y prit son manteau et, le tenant à bout de bras, s'enfuit dans l'escalier.

Ce n'est que dehors, dans l'air frais du boulevard Saint-Germain, qu'elle pensa à le mettre. Elle enfila une manche après l'autre soigneusement et le boutonna de haut en bas avec application. La station de taxis était au coin de la rue de Grenelle et elle partit dans cette direction d'un pas vif. Il y avait du vent sur le boulevard, un vent de printemps, et, à sa grande horreur, et en se haïssant pour cela, Justine se sentait tout à coup parfaitement en forme.

La cousine éloignée

« Les villes d'eaux sont déjà assommantes par beau temps, mais sous la pluie on y deviendrait suicidaire... », pensait Charles-Henri de Val d'Embrun, treizième vicomte du nom, en recomptant pour la sixième fois de la journée les quelques louis échappés de ses vêtements, mis au complet, poches retournées, au milieu de la chambre. Leur somme se montait à trente-huit, trente-huit malheureux louis blottis dans la main d'un homme qui les avait jetés au vent toute sa vie, et qui devait faire depuis quelque temps des efforts surhumains pour en retarder la fuite. Déjà la suite, l'indispensable suite au *Brenners* – seul hôtel « convenable » de Baden-Baden – lui en aurait mangé dix, même convertis en thalers, à la fin de la semaine. La seule proie, la seule chance était cette demoiselle Hettingen, prénommée gracieusement Brunehilde, et flanquée naturellement de Mme Hettingen mère, imposante et redoutable bourgeoise de Munich, elle-même flanquée de l'inévitable amie française, Mme de Cravelles.

Cette dernière, Charles-Henri s'était renseigné, était une cousine éloignée du sieur Hettingen ; fort éloignée d'ailleurs, à en juger par le maintien, qu'elle avait gracieux, et le regard qu'elle arborait mélancolique. La conjonction de ces deux femelles largement quadragénaires donnait au plan du vicomte – lui-même âgé de quarante-trois ans – les allures d'un pari impossible. Il s'agissait en effet pour notre homme de compromettre jusqu'au mariage forcé une jeune fille riche, et de sauver ainsi un nom honorable et une existence déshonorante également menacés.

Charles-Henri de Val d'Embrun jeta un regard à sa glace et y vit un pauvre homme consterné. Il se redressa aussitôt, par réflexe autant que par courage naturel, carra ses épaules, brossa sa moustache, sourit en découvrant des dents superbes, et fut soulagé de retrouver instantanément le beau et brillant jeune homme que, depuis vingt ans, il s'était bêtement obstiné à rester. Sans croire au travail, ni aux vertus qui s'y attachaient, sans croire tout bonnement à la vertu, Charles-Henri croyait au vieux sens du mot « vertu », le sens latin, c'est-à-dire le courage. Il lui avait d'ailleurs fallu parfois plus de courage pour continuer la fête que pour devenir vertueux. Combien de fois, en effet, des parents bien intentionnés, navrés de voir se dissiper en vain ce beau nom, cette belle santé et ce beau physique, n'avaient-ils pas tenté de faire racheter l'ensemble par de solides fortunes, au demeurant nobles, et pour le bonheur de demoiselles pas du tout laides. Il n'eût tenu qu'à lui de mener une vie douce et soyeuse, avec femme, enfants, chevaux, livrées et petites maîtresses à l'opéra. C'était avec un bel esprit d'absolu que Charles-Henri s'était refusé à ces compromissions, et qu'il avait suivi de ville en ville, de capitale en capitale, c'est-à-dire de lit en lit, toutes celles qui, pour lui, ressemblaient tant soit peu à l'image qu'il se faisait de l'amour. Sa fortune, ou plutôt celle de son père, y était passée ; et c'est pourquoi il devait, ce soir, s'obliger à rêver d'une Brunehilde Hettingen, héritière de la maison Hettingen et Schwartz, au capital de cent mille thalers, à Munich.

Ces dames prenaient les eaux à 11 heures, heure où Charles-Henri dormait profondément, puis à 4 heures, heure où l'avant-veille il avait décidé de les attaquer. Le concierge du *Brenners Hôtel*, un vieil ami, avait, par l'entremise d'une *marchesa* d'opérette, arrangé la rencontre. Les présentations ayant été faites, Charles-Henri y était allé de son plus beau numéro de cœur brisé et inconsolable – prêt à se laisser consoler. La jeune Brunehilde s'y était aussitôt consacrée et en avait acquis, malgré sa gaucherie déjà redondante, un certain éclat. La mère, elle, quoique plus longue à émouvoir, avait fini, au dessert, le son des violons se mariant harmonieusement aux délices de la crème Chantilly, par évoquer les charmes latins de la Bavière en 1860, date à laquelle, semblait-il, elle n'avait pas encore connu l'intéressant Wilhelm Hettingen. Ces dames plongées dans la mélancolie du souvenir et de l'espérance, Charles-Henri eût été presque vainqueur dès ce soir-là, château en Dordogne et bons mots parisiens aidant, s'il n'y avait eu la cousine éloignée qui méritait, une fois de plus, ce mauvais adjectif. Elle regardait avec une froideur bizarrement mêlée d'approbation les manœuvres d'encerclement du malheureux vicomte, et il l'avait même surprise à hocher la tête d'un air admiratif quand il avait lancé habilement le nombre d'hectares en Dordogne après la couronne ducale du cousin Edmond.

Curieusement, cette approbation, au lieu de l'encourager, glaçait notre héros. D'abord les deux Teutonnes étaient trop blondes, leurs yeux trop bleus et leur chair trop rose ; cette cousine avait les cheveux noirs, presque bleus, comme il les avait aimés toute sa vie, et, malgré les rides en biais et au-dessous, son œil gris avait des lueurs de gaieté insolente d'un autre temps, gaieté qu'il jugeait inopportune en tout cas, étant donné le déchirant récit qu'il faisait de son existence. Elle avait l'air détaché et railleur, de ce détachement et de cette ironie qu'il connaissait bien et que seule donne l'assurance d'une grosse fortune et d'une vie passée à s'en servir au mieux – de ses envies, s'entend. « Elle était sans doute de sa race, pensait-il avec rancune, mais elle, du moins, avait su se mettre à l'abri. » C'était même peut-être elle qui tenait les rênes ou les cordons de cette bourse allemande, à en juger par son air calme et l'empressement respectueux des deux autres. « Marie conseille ceci, Marie pense que cela, Marie voudrait que... », on n'entendait parler que d'elle et de ses desiderata. Charles-Henri en était arrivé à penser qu'il faudrait que son mariage fît partie, lui aussi, de ces desiderata pour aboutir.

Assis à la terrasse du *Brenners*, devant une fine à l'eau, sa canne de jonc à la main, vêtu de coutil blanc, élégant, nonchalant, superbe et ruiné, Charles-Henri de Val d'Embrun en était arrivé à se demander s'il lui fallait jouer franc-jeu avec Mme de Cravelles et étaler ses cartes de mauvais sujet repenti (ou prêt à l'être) ; ou, au contraire, s'il devait continuer ce numéro lamartinien de plus en plus pesant même à ses propres yeux. Aussi ne prit-il pas garde au couple de vieillards, littéralement ravagés par le temps et par leurs vices, qui, émergeant du casino comme sans doute Orphée des Enfers, hagards, balbutiants et livides, étaient venus s'écrouler sur les fauteuils derrière le sien.

Il avait croisé ce couple, justement célèbre dans le monde entier, dans toutes les villes à casinos. C'étaient des Russes de fort bonne famille qui, en dix ans, domaine par domaine et verste par verste, avaient tenté de liquider petit à petit leur incalculable fortune familiale. Malgré leurs efforts – la chance étant assez cruelle pour parfois sourire à ses victimes les plus consentantes –, il leur restait encore, disait-on, un certain nombre de palais à Moscou et à Saint-Pétersbourg. Parfaitement prisonniers de leur passion, ils étaient passés dans ce siècle sans rien en voir, et on ne connaissait d'eux, sinon cette passion partagée, que leur désordre et leur générosité des plus extravagants. Sur leur chemin se pressaient de pauvres hères plus ou moins fanfarons et affamés, que seuls leurs caprices de joueurs et leur mobilité d'équipage arrivaient à semer loin derrière eux.

Charles-Henri les regardait de biais avec une sympathie un peu dégoûtée, comme on regarde certains infirmes, et il était si profondément plongé dans ses manœuvres et dans ses incertitudes qu'il n'aurait sans doute rien entendu de leurs propos si le même prénom, répété dix fois par le vieillard et par sa femme, n'était venu à la fin frapper son oreille. C'était ce même prénom qu'il entendait depuis quelques jours proféré par sa « fiancée » et par sa mère, c'était Marie. La coïncidence lui fit tendre l'oreille :

— Il faudra penser à Marie, disait l'homme, avant de partir. J'ai trouvé Marie bien pâle, cette saison...

— Souvaroff n'avait plus un sou, disait la femme. Marie le savait, pourtant. Elle a gardé trois mois les enfants de Nikolaï avant d'être lectrice de cette Anglaise, et maintenant...

— Maintenant, c'est pire que tout, reprit tristement l'homme. Te rends-tu compte ? Marie apprenant les bonnes manières à ces grosses femmes ! Tu sais que la mère la fait passer pour une cousine... Les Allemands adorent la noblesse. Si elle savait que Cravelles est en Guyane, au bagne, en ce moment même... Oui, il faudra laisser quelque chose à Marie, reprit-il.

Et il cria « Vodka ! » d'une voix de stentor qui fit se retourner toute la terrasse sauf Charles-Henri de Val d'Embrun, pétrifié sur sa chaise.

Cinq minutes plus tard, ces dames arrivèrent et, escortées par le vicomte, allèrent au kiosque entendre les musiciens. On joua du Massenet, et les deux dames blondes eurent la larme à l'œil aux mêmes mesures. Le vicomte français, à côté d'elles, semblait pensif et tourmenté, et il sembla apprécier l'offre de la cousine Marie de ne se retrouver qu'à 11 heures, le soir même, à la redoute du casino. Il mit ces dames dans un fiacre avec sa galanterie habituelle mais, au grand dam de la jeune Brunehilde, ne lui pressa pas la main comme il le faisait depuis deux jours (il faut dire qu'à son vif déplaisir il avait vu les deux dames s'installer au fond de la calèche, laissant leur cousine éloignée se contenter du strapontin). Pire, c'est sur cette dernière qu'il tint les yeux fixés tandis que la voiture s'en allait, et c'est vers celle-ci, souriante et brusquement rajeunie à contre-jour, la voiture roulant vers le soleil, qu'il agita longuement le bras, comme put le constater Brunehilde en se retournant. Le ton fut sec pendant le parcours, et le prix de la chambre occupée par la Française fut évoqué avec acrimonie par ces deux dames, soudainement économes.

— Que me conseillez-vous ?

Marie de Cravelles répondit par un petit rire, à demi joyeux, à cette question pourtant prononcée d'une voix angoissée, et se dégagea des bras de son cavalier. Il était minuit, la foule valsait avec entrain dans la nuit d'été et le charmant casino de Baden-Baden était illuminé de mille feux.

— Je vous conseillerais de faire valser Mlle Hettingen, plutôt que moi, dit-elle. Mais d'abord, je vous conseillerais de m'offrir une orangeade, je meurs de soif.

Marie de Cravelles avait une belle robe de dentelles aquarelle gris pâle qui rendait ses yeux vert d'eau, sa taille encore plus fine, et, malgré lui, Charles-Henri se demanda comment il avait pu faire la cour à une autre femme devant celle-ci. « Il fallait qu'il eût vraiment l'ambition chevillée au corps… », songea-t-il avec un orgueil cynique et prématuré. Mais cet orgueil s'évanouit vite quand il la suivit parmi les sentiers du parc, vers le buffet enguirlandé et presque désert, et quand il la vit prendre son verre, le vider d'un trait, la gorge rejetée en arrière, assoiffée, gaie, insouciante, tout ce qu'il aimait au monde. « Il s'agit bien de ça, pensa-t-il. Nous sommes peut-être de la même race, mais nous sommes aussi dans le même pétrin. » Il la fit asseoir sur un tabouret de bois à l'abri d'une treille, et se pencha vers elle d'un air décidé.

— Je dois vous parler sérieusement. Il s'agit, pour moi, d'une question grave.

— Mais je sais, dit-elle en essayant de ne pas rire, je sais. Vous êtes le vicomte Charles-Henri de Val d'Embrun, la vie vous a maltraité, vous n'avez jamais donné votre cœur qu'à des femmes qui n'en avaient pas, et vous voulez fonder un foyer chrétien dans votre manoir de Dordogne. C'est ça, n'est-ce pas ?

— Vous exagérez, dit Charles-Henri faiblement, et en rougissant de honte malgré lui. Je n'ai pas exactement dit ça. Là, vous poussez la charge un peu loin...

— Parce que c'était une charge ? demanda-t-elle. Vous m'étonnez... J'avais cru entendre là le cri d'un homme honnête, blessé...

— Ah, je vous en prie ! (Charles-Henri s'était décidé.) Je vous en prie, cousine de Cravelles. Et avez-vous des nouvelles du bon cousin Wilhelm ? Le négoce va-t-il bien à Munich ?

Elle cessa de rire, et ils se regardèrent un instant en silence. Marie avait de nouveau plus de quarante ans et sa robe n'était pas neuve.

— Dieu merci, oui, dit-elle d'une voix tranquille après un instant. Dieu merci, oui, le négoce se porte bien. Nous en avons besoin tous les deux, non ?

Ce fut au tour de Charles-Henri de détourner la tête et, dans un geste nerveux, de laisser voir l'empiècement déchiré, à force d'usage, de son plastron. Machinalement, elle leva la main et remit l'habit en place, geste qui la rendait complice au moment même où elle l'effectuait – et ils s'en rendirent compte tous deux ensemble. Ils se regardèrent et se sourirent avec tendresse. « Ils n'avaient plus rien à se dire », pensa Charles-Henri avec lassitude, une lassitude mêlée d'allégresse sans qu'il sût pourquoi. Ce simple geste avait tout résumé : et ses comédies à lui, et la connaissance qu'elle en avait, et l'aide immédiate qu'elle était prête à lui accorder. Pour la première fois depuis longtemps, Charles-Henri se sentait vaguement ému. Il se débattit faiblement :

— Mais enfin…, demanda-t-il, imaginons que je réussisse dans mon entreprise auprès de cette jument nubile et trop bien nourrie : vous perdez votre gagne-pain… ! Il y a longtemps que vous apprenez à vivre à ces dames ? Enfin… que vous essayez ?

— Six mois, dit-elle avec une petite grimace. Et vous ? Comment avez-vous su, pour moi ?

— Par les Russes, dit-il, les joueurs, le couple des deux…, vous savez ?…

— Ah ! Varvara et Igor… Les chéris, ils parlent toujours trop fort partout.

Elle souriait, attendrie et sans rancune. Et Charles-Henri l'appréciait. Il réfléchit :

— Et moi ? Comment avez-vous su ?

— Oh ! dit-elle en éclatant de rire et en se rejetant en arrière (et là, elle avait de nouveau vingt ans), oh, c'est simple ! Je n'ai jamais vu un seul bel homme qui, en vingt ans, n'ait connu que des femmes sans cœur. Ça n'existe pas. Votre tactique repose sur une absurdité, mon cher vicomte. Croyez-moi, il faudra en changer.

Ils se mirent à rire tous les deux à gorge déployée, d'un rire qui alerta les oreilles de la jeune Brunehilde qui valsait à quelques pas de là, avec un uhlan de sa taille, et qui darda vers eux, vers le coin sombre d'où venaient ces rires, un regard furieux qu'ils ne virent pas.

— Vous n'avez pas répondu à ma question : qu'auriez-vous fait ? insista Charles-Henri (sans remarquer qu'il parlait déjà de ce mariage à l'imparfait). Qu'auriez-vous fait si je m'étais marié avec votre élève ?

— Oh, d'abord, j'aurais dit « Ouf ! », dit Marie. Et puis après, sincèrement, je n'en sais rien. Je vous aurais maudit et plaint à la fois. Mais dites-moi, ce domaine en Dordogne est-il, lui aussi, illusoire ?

— Pas du tout, dit Charles-Henri dans un élan tardif de respectabilité. Seulement, il est effectivement en Dordogne, c'est-à-dire loin de Paris. Les terres autour sont hypothéquées depuis longtemps, et je n'ai jamais pu le vendre.

— Vous pensiez y emmener Brunehilde ? demanda-t-elle, adoptant machinalement, elle aussi, cet imparfait.

— Ah non ! reprit Charles-Henri avec une fermeté excessive provoquée par l'effroi. Non. En fait, je n'ai jamais connu de femme avec qui j'aimerais y vivre… Là ou ailleurs, ajouta-t-il. Je n'ai d'ailleurs jamais vécu à Paris. Il me serait impossible...

Il arrêta sa phrase au milieu, tenta de la reprendre et se tut. Ces violons étaient bien dangereux tout à coup, et cette femme complice, avec ses yeux vert d'eau et son rire insouciant, et son visage marqué de souvenirs tendres et extravagants..., cette femme au passé fou mais évidemment généreux, cette femme aussi était très dangereuse... Il recula lorsqu'elle mit la main sur la sienne, et déjà, à l'avance, il secouait la tête négativement avant même qu'elle ne lui demandât :

— Mais alors... pourquoi pas ? J'adore la campagne ! (Son sourire s'élargissait jusqu'aux yeux, devenant irrésistible à force de confiance, de soulagement et de gaieté.)

Il ne restait à Charles-Henri que peu de forces à opposer à ce sourire. Mais peut-être eût-il échappé à son bonheur si la jeune Brunehilde n'était apparue soudain à leurs yeux, campée devant leur table et semblant du même bois incassable, les yeux flamboyants et la voix tonnante :

— Ma cousine semble oublier son âge, ce soir, dit-elle dans un français pour une fois correct, tout au moins dans la forme.

Alors, Charles-Henri, horrifié, vit le sourire quitter d'un coup le visage de Marie ; il vit celle-ci se lever précipitamment, incliner légèrement la tête et montrer par mille signes la connaissance qu'elle avait de sa culpabilité et de sa mauvaise conduite. Il la vit prête à s'excuser, et il comprit en même temps qu'il ne saurait supporter qu'elle le fît devant lui : lui son protecteur naturel et son futur amant.

— Je crois que vous avez oublié le vôtre, dit-il en se levant à son tour. Votre jeune âge n'est pas une excuse suffisante, déjà, mademoiselle Hettingen, articula-t-il avec une déférence blessante, pour que vous oubliiez le nôtre, à madame et à moi, et il n'est pas une excuse suffisante, en tout cas, pour vous dispenser d'en faire. Je les attends, acheva-t-il d'une voix cassante (en invoquant l'âme de son aïeul Émery jeté cinq ans à la Bastille par Louis XIV pour insolence).

La jeune walkyrie, ignorant tout de cet aïeul exemplaire, hésitait, passant sans aucune grâce d'un pied sur l'autre, « comme un jeune ours », pensa distraitement Charles-Henri. Il n'osait pas regarder Marie mais il avait envie de se tourner vers elle, de la prendre dans ses bras ; et cela le plus vite possible, à présent que quelqu'un avait décidé à sa place, quelqu'un que lui, Charles-Henri, avait toute sa vie négligé d'écouter, et qui n'était peut-être, après tout, qu'un hobereau campagnard, bon vivant et respectueux des formes, fidèle à sa femme et prompt à la colère.

— Maman…, commença la jeune fille, mère dirait…

Puis elle s'arrêta, rougit d'un coup et hurla presque : « Je m'excuse », avant de s'enfuir dans un galop poussif « qui fit trembler les verres », pensa dans son exagération Charles-Henri. Mais ce devait être une exagération minime puisque cette fuite fit naître le même rire, derrière lui, rire qui ne cessa que lorsqu'il se retourna et prit contre lui la cousine éloignée.

Souvenirs… souvenirs…

La Land-Rover roulait à fond de train vers le troisième campement et Wilhelm Hans, le guide, son conducteur, se sentait bizarrement soulagé. Pourtant sir Glatz et sa femme, Anna, étaient des clients idéaux pour un safari : silencieux, polis, distants. De plus, ils avaient payé d'avance. Mais cela n'empêchait pas Hans, pourtant rodé en dix ans de chasse aux fauves, cela ne l'empêchait pas d'avoir peur, surtout de sir Glatz. Ses yeux de myope, ses cheveux blancs et son corps si souple – Hans l'avait vu sauter de la voiture pratiquement en marche –, tout cela le gênait obscurément comme un anachronisme vivant. Sa femme était plus jeune, certes, mais elle était déjà courbée, évasive, encore belle peut-être mais bizarre, et ils se parlaient si peu entre eux.

« Après tout, pensa Hans, on n'a encore rien chassé, mais ce sont des Anglais et les Anglais sont sportifs, c'est bien connu. »

— Arrêtons-nous là.

Il leva la main et, dans le soleil couchant, les deux voitures derrière s'arrêtèrent, juste à temps. Les boys prirent un air pressé pour monter les tentes qui le fit sourire une fois de plus. Ils jouaient une belle comédie à l'égard de ces touristes qui payaient si cher pour se faire si durement secouer. Ils en remettaient.

— Voulez-vous boire quelque chose ? dit Hans poliment. Avec toute cette poussière vous avez dû avoir soif.

Sir Glatz aidait sa femme à descendre de voiture d'un geste plus mécanique qu'affectueux.

— Allez par là, ma chère, dit-il, on est en train de monter votre tente. Vous vous reposerez.

Une fois de plus, son accent rigide, presque teutonique, frappa l'oreille de Hans. Mais après tout, il s'en moquait. Tous ces dollars portés par tous ces gens qui se croyaient chasseurs, uniquement parce qu'ils possédaient assez de ces mêmes dollars pour acquérir de beaux fusils, d'excellents billets d'avion, de confortables campings, et même, ses bons services..., tous ces gens-là lui répugnaient à présent. Comment pouvaient-ils croire que le gibier, lui, fût achetable ou kamikaze ?

— Je suis désolé, sir, dit-il poliment, nous n'avons pas de chance actuellement.

Il s'arrêta net car le soleil était bas et son ombre oblique venait presque heurter de front l'ombre de sir Glatz.

— Voyez-vous, dit Glatz, nous n'étions pas venus ici pour chasser, spécialement. Ma pauvre femme Anna vous le dira.

« C'est très bien, pensa Hans, ce type doit avoir besoin d'air ou il aime faire des photos, ou il en a assez de Londres. »

Il sourit vers Glatz mais déjà la voix lasse de ce dernier continuait :

— Je suis venu ici pour tuer.

Il regarda Hans en face de ses yeux délavés et il se mit à rire :

— Pour tuer des bêtes, bien sûr. Les gens sont un peu trop chers, maintenant, vous savez.

« Cet Anglais est dingue », se dit Hans. Mais, en plus du léger rire qui l'envahissait, il eut de nouveau une sorte de peur ; pourtant il en avait connu des dingues, et des plus divers : des mythomanes, des impuissants, des snobs, des faux mâles, des gens d'argent. Mais là, ce profil bronzé, aquilin, presque pur sous les cheveux blancs, le désorientait.

— D'où êtes-vous ? demanda Glatz en posant la main sur la manche de Hans qui, à sa propre stupeur, tressaillit.

— Je suis d'Amsterdam, dit-il très vite.

— De quand ? Je veux dire, quel est votre âge ?

Il semblait parler distraitement, à présent. Les boys avaient monté les tentes, ils allumaient le feu pour le dîner. Il faisait bon et sec et doux, c'était la savane de septembre. Hans respira à fond cette odeur de bêtes et d'herbes et de marécages qu'il aimait tant, et sourit à son bizarre client.

— Moi ? Ah oui, je suis né en 1941.

— Trop tard, dit sir Glatz, beaucoup trop tard.

Il s'arrêta, regarda son pied chaussé de bottines, puis la Craven qu'il tenait à la main. Il sembla un instant établir un rapport entre les deux, les évaluer, puis jeta la cigarette sous sa chaussure.

— Demain, dit Hans sans trop s'avancer, nous irons chasser l'éléphant. Vous verrez, ils sont vraiment impressionnants !

— Trop gros, dit Glatz. Ce n'est pas la force qui m'impressionne, c'est la faiblesse. Pas vous ?

Et sans attendre de réponse, il s'éloigna.

Après tout, Hans s'en fichait. Il avait lu Hemingway et London et d'autres, et tout cela n'était pas dans ses cordes. Lui, il faisait son travail, aussi bien que possible. Il avait presque envie de l'expliquer à ce type. C'était bien la première fois qu'un de ces maudits touristes lui donnait un sentiment de culpabilité. Il soupira et, machinalement, à cause de l'incendie toujours possible, regarda par terre. La cigarette de sir Glatz était si enfoncée, éventrée, écrasée sur le sol qu'il eut un léger recul. C'était le pied d'un homme fou de rage qui avait éteint ce mégot.

— Mais où sont ces bêtes ?

Sir Glatz s'énervait. La voiture tressautait une fois de plus et Hans, une fois de plus, fouillait la savane de ses jumelles. Rien. Décidément les Glatz n'avaient pas de chance. Et comment annoncer à des gens de cet acabit qu'ils n'ont pas de chance, que leur expédition est inutile, grotesque et faussement dangereuse ? Hans haussa les épaules.

— Je suis désolé, sir, dit-il, je ne crois pas...

— Que ne croyez-vous pas ?

La voix de Glatz était très sèche.

— Je ne crois pas, dit Hans, que nous puissions trouver, aujourd'hui en tout cas, un gibier convenable.

Il y eut une sorte de rire et de toux près de lui. Il jeta un coup d'œil vers son voisin qui, effectivement, semblait bien s'amuser.

— « Convenable », dit Glatz. Enfin, croyez-vous que je sois venu ici pour tuer du « convenable » ?

Le ton de sa voix était tellement méprisant que Hans changea de couleur.

— Comme je vous l'ai dit, reprit Glatz, je suis venu ici pour tuer n'importe quoi.

Et ce dernier terme, jeté entre les dents, stupéfia Hans.

— Par exemple, reprit Glatz, des antilopes.

On leur avait signalé des antilopes la veille, en troupeau au nord-ouest, mais quel intérêt cela pouvait-il représenter pour un chasseur ? Les deux hommes se regardèrent.

— Ce serait de l'assassinat, dit Hans, et sans charme.

— Pour vous, dit sir Glatz, pour vous peut-être...

Et Hans, le bon chasseur, en resta foudroyé.

Mais déjà on voyait des nuages de poussière, déjà on devinait les bêtes là-bas, et déjà, impérieux, Glatz indiquait la direction du troupeau au boy stupéfait.

Ils durent descendre de voiture et s'enfoncer dans la forêt. Hans soutenait la femme à travers les herbes et tentait bêtement de la rassurer.

— Voyons, disait-il, ne vous affolez pas. Sir Glatz ne risque vraiment rien. Les antilopes...

Il s'arrêta. Il n'allait pas dire à cette pauvre femme que les antilopes cherchaient avant tout l'amour ou une portée déjà assurée en cette saison ; et que son époux à elle ne recherchait qu'un massacre infect. Aussi fut-il surpris quand la main de la femme s'empara de son poignet.

— Arrêtez ça, dit-elle.

Il se retourna vers elle.

— Sinon, il va recommencer.

Elle chuchotait à présent, et ces chuchotements dans cette forêt trop verte lui faisaient peur, comme une indécence.

— Recommencer quoi ?

Il entendait sa propre voix, rauque et stupide. Il sentait la femme s'appuyer sur lui.

— Recommencer comme à Dachau, dit-elle.

Et tout devint clair pour lui. Ce salopard qui voulait tuer les antilopes, cet anglais excellent, mais si guttural, cette femme épuisée... Combien de temps Glatz avait-il tenu le coup contre ses terreurs, ses instincts et ses goûts ? Ce nazi ! Il était devenu sir Glatz, il s'était reconverti et ménagé une fin de vie heureuse et paisible avant que le goût du sang, comme à certains chiens, ne lui revînt aux lèvres. Le salaud !

Hans courait dans la forêt à présent. Il courait et il priait et, quand il entendit les coups de feu, il accéléra. Il vit tous les boys venir vers lui et s'écarter à son passage sans même le regarder. Et, cent mètres plus loin, il vit. Il vit un maniaque de soixante-quatre ans, doté d'un œil bleu clair, de cheveux blancs et d'un passé affreux qui assassinait des enfants, des antilopes, des Juives et des douceurs. Stupéfait, il le vit viser, sourire et tuer toute la grâce du monde. Les bêtes se convulsaient par terre une seconde, les yeux étonnés ; il devait y en avoir trente.

— Sir Glatz, dit Hans presque poliment.

Et le bourreau se retourna, sourit, leva un bras et désigna fièrement son hécatombe.

— Vous savez, dit Hans, je suis un Juif, moi aussi.

Il y eut une folie dans l'œil de Glatz et il réagit si vite que ce fut presque un hasard si ce fut Hans qui l'atteignit. Il mourut sans se plaindre, un vrai S.S.

« L'échange »

Un délicat soleil d'automne baignait l'Angleterre et allongeait sur des pelouses encore vert pomme l'ombre massive et solennelle des tours de Fontleroy Castle. Les nombreux visiteurs marchaient à présent en groupes volubiles vers la poterne, sous l'œil fatigué et vigilant des gardiens. Il allait être 6 heures, et le château serait bientôt fermé à ces importuns. Seul un petit groupe parcourait encore au trot le grand couloir du premier étage. Le guide se dépêchait, inquiet et gêné comme chaque fois que leurs seigneuries étaient dans leur demeure ; et c'est ainsi qu'il ne vit pas s'effacer derrière une armure le jeune et sournois Arthur Scotfield.

C'était un jeune homme mince, roux, au visage avenant et gai, et qui portait avec une élégance méritoire des vêtements plus que fatigués. À présent il soufflait un peu derrière son refuge et se félicitait. Le petit tableau de Frans Hals était bien là, juste où on le lui avait indiqué, au bout du couloir et en face de la grande porte lambrissée.

Il lui suffirait plus tard, quand il ferait nuit, de revenir sur ses pas, de le décrocher et de filer avec, par une porte quelconque. Il lui semblait avoir parcouru des kilomètres dans ce maudit château, et il se demandait quels fous furieux pouvaient encore y habiter.

Lord Fontleroy ralluma pour la troisième fois son cigare. Généralement de couleur brique, il était devenu ponceau, et sa femme, la toujours belle Faye Fontleroy, lui jeta un coup d'œil mi-inquiet, mi-amusé. Ce dîner avait été interminable et, vraiment, Byron, leur invité, avait eu tort d'arriver ainsi, la veille de la chasse. Sa passion pour elle n'excusait pas sa présence intempestive, plus qu'intempestive étant donné l'humeur épouvantable où la jalousie plongeait ce pauvre Geoffrey. Lord Fontleroy avait toujours été jaloux – et souvent à juste titre – de son épouse ; et même maintenant où elle avait passé allégrement la quarantaine, voire la cinquantaine disaient ses meilleures amies, il ne pouvait s'empêcher de rouler des yeux injectés de sang lorsque le moindre bel homme tournait autour de sa femme. Il écrasa son cigare d'un geste furibond dans le cendrier, et Byron, pressentant le danger, déplia sa longue carcasse d'Écossais et toussota :

— M'excuserez-vous, demanda-t-il de sa voix haut perchée (voix qui avait, au demeurant, empêché jusque-là Faye de le considérer attentivement), me pardonnerez-vous si je me retire ? Nous nous levons tôt, je crois, demain.

— À 5 heures, dit Geoffrey Fontleroy d'une voix rogue. Vous avez raison.

Byron s'inclina devant Faye et son époux et partit d'un pas mélancolique vers le grand escalier. Faye le suivit des yeux machinalement et elle sursauta quand Geoffrey l'interpella.

— J'imagine que celui-là vous plaît aussi, dit-il.

— Voyons, mon cher, dit Faye, nous avons déjà eu une journée épuisante avec toute cette cohorte, dont on entendait les pas poussifs dans les couloirs. N'est-ce pas suffisant ?

— Cette cohorte contribue à payer vos chapeaux et vos voyages, rappela Geoffrey d'une voix acerbe. Mes ancêtres sont dévisagés par des culs-terreux, tous les jeudis, à cause de vos fantaisies. Maintenant voilà ce grand serin de Byron qui vient jusque sous mon toit vous lancer des œillades. Morbleu ! s'écria-t-il en tapant sur l'accoudoir. Morbleu ! vous ne me tromperez pas sous mon toit !

— Voyons, reprit Faye d'une voix apaisante, cessez ces propos libidineux, Geoffrey. Il est temps de dormir.

Elle se leva et lord Fontleroy se leva aussitôt, malgré son embonpoint, et la suivit dans le couloir. Arrivée à sa porte, après quelques pas, elle se retourna et regarda son mari avec candeur.

— Voulez-vous fouiller ma chambre, Geoffrey ? demanda-t-elle.

Elle avait envie de rire. En même temps, quelque chose, dans le dos de Geoffrey, la dérangeait, une sorte de tache blanche sur le mur du couloir qui dérangeait sa vue. « Il manque quelque chose, là, mais quoi ?... » Elle ouvrait la bouche pour poser la question à Geoffrey, mais ce dernier l'avait prise par le bras et la poussait dans son appartement.

— Vous m'excuserez, dit-il, mais j'ai l'intention de dormir tranquille, cette nuit. Je vous rouvrirai la porte en partant pour la chasse en compagnie de Byron, à 5 heures.

Et il referma la porte sur elle. Elle entendit la lourde clef tourner trois fois, non sans grincement, dans la serrure.

Son appartement privé était composé d'une immense entrée-penderie lugubre et d'une chambre solennelle et gothique dont le seul charme était la vue, délicieusement sauvage, sur les collines du Sussex. Ce n'était pas la première fois que Geoffrey l'enfermait de la sorte, mais elle ne put s'empêcher de rire : pour cette fois, c'était bien inutile. Elle se déshabilla, mit une chemise de nuit de soie qu'elle affectionnait, et commença à brosser ses cheveux roux, toujours aussi roux malgré le temps, devant la glace. Elle regardait ses dents toujours éclatantes, sa peau toujours fraîche d'Anglaise, son corps mince et vigoureux, et elle se souriait à elle-même. Tout à coup elle s'immobilisa, la brosse en l'air. Elle se souvenait : oui, c'était bien le petit Frans Hals qui avait disparu du couloir. Elle en était sûre ! Un de ces touristes avait dû l'embarquer au passage mais elle ne voyait pas comment il avait pu le sortir du château sous l'œil si vigilant de Gordon, le *butler*. « Bah, se dit-elle, ce n'est pas une bien grande perte... » Et son sourire s'accentua. Le vent fit claquer les rideaux dans sa chambre et elle se rendit compte qu'elle avait froid. Où avait-elle donc pu mettre sa délicieuse couverture de mohair rapportée par le délicieux Edmond Brindehoux, quinze ans plus tôt ? Était-ce Edmond, d'ailleurs, ou Pierino qui lui avait rapporté cette couverture faite de plumes de cygne, semblait-il, tant elle était légère ? Elle ne savait plus. On avait dû la ranger dans la penderie du fond, celle qu'on n'ouvrait jamais, et elle s'y dirigea d'un pas vif.

Elle ouvrit la porte et se trouva nez à nez avec Arthur Scotfield. Il tomba littéralement dans ses bras, suffoquant, tant il avait été serré entre les housses et la porte, et il éternua violemment quatre ou cinq fois sous l'effet de la naphtaline. Par quelle malchance, pensait-il, avait-il fallu qu'effrayé par un gardien il se réfugiât justement là, dans la seule chambre sans doute occupée, et pourquoi avait-il fallu que cette femme ouvrît justement ce placard entre vingt autres ? Elle allait se mettre à hurler, il allait devoir s'enfuir dans ces couloirs inconnus et sombres et sûrement se faire pincer par des archers. C'était le sixième cambriolage d'Arthur, et les cinq premiers s'étaient tous si bien passés qu'il avait le sentiment d'une injustice. Tout en éternuant, il attendait le cri perçant ou les supplications inévitables, mais ses éternuements cessèrent d'un coup quand il entendit une voix gaie, amusée – semblait-il –, prononcer : « *God bless you !* » Il marmonna « Merci » machinalement et releva la tête.

Il était en face de la belle lady Fontleroy dont il avait cent fois admiré les photos dans les revues diverses et dont à présent il admirait les épaules nues et les cheveux fauves. C'était complet ; en plus, il avait fallu qu'il tombât sur la maîtresse de maison, et, même si elle n'avait pas vu le tableau – qu'il avait eu le réflexe d'enfouir entre deux housses –, elle allait néanmoins appeler son époux et le faire rosser. Comment pouvait-il justifier sa présence ? Que pouvait-il bien indiquer comme prétexte à sa présence, à cette heure, dans cette chambre ? Son esprit agile s'affolait en vain.

— Auriez-vous pris froid ? demanda Faye d'un air obligeant. Ces couloirs sont atroces.

Et comme il ne répondait pas, elle haussa les épaules et lui sourit.

— Il y a un feu à côté, dit-elle, venez vous réchauffer.

Hébété, Arthur la suivit jusqu'à l'immense cheminée et s'assit timidement sur la banquette qu'elle lui désigna, en face d'elle. Les flammes étaient hautes, faisaient danser des ombres démesurées sur le lointain plafond et rougissaient un peu les joues de Faye. Elle avait l'air très jeune ainsi, et très désarmée malgré son flegme. « Elle doit avoir un joli cran, pensa Arthur non sans admiration, car après tout, au lieu d'être un gentleman, je pourrais être un assassin et lui tordre son joli cou. » Il lui adressa un sourire rassurant et protecteur qui l'embellit singulièrement. « Bien habillé, pensa Faye, il pourrait être très joli garçon, malgré sa maigreur... Les yeux et la bouche sont superbes. » Ils se considérèrent ainsi une bonne minute et se mirent à parler tout à coup ensemble.

— Je voulais vous dire..., commença Arthur.

— Que faites-vous là ? s'enquit Faye.

Ils s'arrêtèrent ensemble, étonnés et confus, et se mirent à rire. Faye reprit la parole la première :

— Je disais, que faites-vous dans ma chambre, à cette heure-ci, jeune homme ? demanda-t-elle d'une voix suave.

Et la réponse, la seule réponse possible vint aussitôt et sans effort à la bouche d'Arthur.

— Je vous aime, dit-il. Je vous ai vue souvent aux courses, dans les journaux, partout. J'ai tant rêvé de vous que j'ai tout risqué pour vous rencontrer. Il fallait que je vous voie et que je vous le dise.

Il reprenait confiance à présent, il se savait un joli bagout et de nombreuses femmes y avaient succombé. De plus il ne sentait aucune difficulté à prononcer ces mots d'amour. Cette lady Fontleroy n'était pas de première jeunesse, bien sûr, mais elle était rudement séduisante ; et il redoubla d'éloquence :

— Votre beauté, disait-il, votre manière de marcher, la couleur de vos cheveux, vos yeux... Ah ! je n'aurais jamais cru pouvoir arriver jusqu'ici.

Elle le regardait sans broncher et elle souriait avec une sorte d'affection comme si elle eût été en face d'un vieil ami et comme si elle ne l'eût pas surpris, enfoui dans sa garde-robe, la seconde d'avant.

— C'est très gentil à vous, dit-elle, d'avoir fait tout ce chemin. Je suis très touchée. Mais vous êtes un jeune homme, un très jeune homme, et je suis une femme trop âgée pour vous. Il vous faut m'oublier et partir au plus vite avant qu'on ne vous trouve.

Arthur hochait la tête, soulagé d'un grand poids mais un petit peu désappointé. Il avait une chance folle, quand même, que cette femme fût ce qu'elle était et qu'elle eût cette attitude. Il laisserait le tableau là où il était, et reviendrait, libre, à Londres, expliquer à son commanditaire que le coup avait foiré. Tout s'arrangeait bien. Seulement il aurait bien aimé rester quelques moments de plus, au coin de ce feu et en face de cette exquise personne.

— Ne puis-je rester un peu ? demanda-t-il d'une voix implorante.

Mais elle secoua la tête et se leva d'un air décidé.

— Non, dit-elle, ce serait imprudent.

Il se leva aussi et tout à coup il la vit s'arrêter, comme pétrifiée, et porter la main à son front. Elle était devant la cheminée, il voyait son corps éclairé par les flammes, sous la soie transparente, et il se sentait la bouche un peu sèche.

— Mon Dieu ! dit-elle d'une voix enfin altérée, vous ne pouvez pas sortir... Geoffrey, mon mari, reprit-elle, m'a enfermée jusqu'à demain.

— Enfermée ? dit-il, ahuri.

— Oui, dit-elle, sans paraître le voir, les yeux tournés vers la porte fermée, oui, mon mari est jaloux. Il ne m'ouvrira qu'à 5 heures, demain, en partant pour la chasse. Que c'est assommant..., dit-elle en se rasseyant sur la banquette, que c'est assommant, ces clés et ces serrures, quelle manie ! Essayez quand même, reprit-elle d'une voix impérieuse, on ne sait jamais...

Arthur se dirigea vers la porte mais, malgré sa solide expérience des serrures, il comprit vite que cette chose moyenâgeuse ne se rendrait jamais. Elle était derrière lui, il respirait son parfum, et il se félicita malgré lui de la jalousie de lord Fontleroy et de la solidité de ce cadenas.

— Je ne peux rien faire, dit-il en se redressant et en se tournant vers elle.

— Mon Dieu !... murmura-t-elle. Que vais-je faire de vous jusqu'à demain ?

Ils se regardaient fixement, très près l'un de l'autre, et il sentait un léger vertige le gagner.

— Je ne peux pas passer la nuit avec un jeune homme amoureux de moi, murmura-t-elle d'une voix rêveuse. Ce ne serait pas convenable.

Mais le mot « convenable » fut étouffé sur sa bouche par celle d'Arthur. Il la serrait contre lui, il embrassait ses épaules, il était mince et jeune et brûlant. Il sentait le soleil, le vieux tweed, le jeune homme, et elle se laissait aller contre lui, les yeux clos, en souriant vaguement.

À 5 heures, le lendemain matin, lord Fontleroy ouvrit la porte de sa femme au passage, d'une manière qu'il espérait silencieuse, ayant un peu honte de lui-même. Byron l'attendait en bas, grelottant dans le petit matin et, en le rejoignant, lord Geoffrey lui tapota l'épaule d'un geste affectueux et inattendu pour lui. Ils partirent d'un bon pas vers la forêt. « Pourvu qu'en plus je n'aie pas réveillé Faye », pensait Geoffrey en vérifiant son fusil. Il se faisait du souci pour rien, car il n'aurait pu réveiller Faye pour la bonne raison qu'elle n'avait pas dormi.

Le jeune Arthur Scotfield était allongé près d'elle, nu et tendre, le feu était mort dans la cheminée, et le petit jour se levait derrière les rideaux.

— Il faut que tu partes, dit-elle d'une voix lasse, et que tu ne reviennes pas. Prends le deuxième escalier à droite, après la porte-fenêtre.

Il s'assit sur le lit et la regarda. Il avait les yeux cernés et sans doute avait-elle, elle-même, une mine épouvantable.

— J'ai passé une nuit merveilleuse, dit-il d'une voix très jeune.

Et elle tendit le bras, l'attira près d'elle et l'embrassa tendrement au coin de la bouche.

— Voilà, dit-elle, c'est notre adieu. Prends tes vêtements, va t'habiller dans la penderie où je t'ai découvert, et pars très vite.

Il obéit, partit à reculons, se retrouva dans l'autre pièce et s'habilla rapidement. Dans la porte restée ouverte du placard, il vit le petit cadre allongé par terre contre les housses, et il hésita. « C'est trop bête, pensa-t-il, de ne pas l'emporter. » Après tout, elle lui avait bien dit à un moment qu'elle s'en moquait de ce château, et de ces meubles, et de ces objets ; qu'elle n'aimait que les hommes et les animaux. Elle ne le verrait même pas. Il ramassa donc le tableau et se dirigea vers la porte. « Arthur ! » cria une voix dans la chambre voisine, et il s'arrêta, posa le tableau par terre avant de rentrer. Faye Fontleroy était assise, un bloc à la main. Elle en arracha une page, la mit dans une enveloppe qu'elle ferma, et la lui tendit.

— Arthur, dit-elle, tiens. Ceci est un petit mot pour toi, une preuve de ma tendresse. Tu le liras dans le train.

Touché, il se pencha, embrassa une fois de plus la belle épaule nue et partit d'un pas vif en attrapant au passage son butin.

Il ne croisa personne et, fidèle à sa façon, il attendit d'être dans le train poussiéreux pour décacheter l'enveloppe.

L'écriture de lady Fontleroy était longue et large et généreuse, mais néanmoins lisible. Arthur lut la lettre. Elle disait :

« Fais attention, mon chéri. Ce tableau est à peu près aussi authentique que ta passion pour moi. (J'ai moi aussi, de temps en temps, des besoins d'argent...) Ce fut une nuit charmante... Quittes ? »

C'était signé « Faye » et, la première stupeur passée, Arthur Scotfield se mit à rire tout seul dans le train, d'un rire sonore et enchanté, qui fit se retourner ses placides compagnons de voyage.

Une question de « timing »

Elle avait allumé la télévision et la regardait, assise sur un sofa, les genoux repliés sous elle, les yeux mi-clos, dans une pose qu'il avait appelée une fois sa « pose féline », et qui lui semblait à cet instant apprise et maniérée. Elle portait un pull-over blanc, d'une laine très douce, que l'on devinait douce à l'œil, et d'où émergeait son long cou blanc, si gracieux, et ensemencé à la racine d'épis blond doré qui devenaient touffes, puis gerbes, avant d'encadrer sa tête ravissante. « Son cou de cygne, ses yeux de biche… » Avait-il assez frémi devant la fragilité de l'un, l'éclat humide des autres ? Il avait même, dans sa sottise, évoqué « la race » au sujet de ce cou, de cette tête et de ces poignets étroits. L'amour lui avait suggéré les compliments communs aux snobs et aux crémiers. Il avait trouvé et déclaré sa maîtresse « aristocratique », et, sans même rire de ce terme, de la vulgarité de ce terme, il avait eu pour elle des attentions pesantes généralement réservées au cristal ou aux fleurs trop chers. Oui, il s'était conduit en valet de chambre snobé ou en snob domestiqué, ce qui était bien pareil. Et il avait eu honte, car pour lui ce n'était pas l'admiration ou le mépris éprouvé pour un objet qui vous dépeignait, mais l'objet lui-même. Il avait aimé sa maîtresse comme on peut aimer l'argent ou les arts : avec goût. Et il se méprisait d'avoir pu ajouter ses petits mots précieux et minables à ce sentiment si libre, si cru et si peu respectable, d'avoir voulu mettre du papier doré et des rubans autour de cette chose sanglante, l'amour. Il avait aimé chez cette femme la discrétion, l'absence de mauvais réflexes, de mesquinerie ou de sentiments bas. Il l'avait aimée pour ce qu'elle évitait, pour ce qu'elle était incapable de faire, il l'avait aimée pour ses garde-fous. Et pourtant, quel autre amour que l'amour fou jugeait-il convenable ? Mille fois, ah ! mille fois il eût préféré l'aimer pour ses trahisons, ou sa bêtise, ou quelque vice idiot ! Au moins il aurait compris son malheur et son bonheur à la fois, et goûté la dérision de se mépriser soi-même ! Et, de plus, il aurait peut-être su, ainsi, comment rompre ce soir.

Elle s'étira. Elle avait un pantalon noir, étroit, qui soulignait son corps superbe. Là aussi il avait été joué par lui-même, autant que par elle, car la nuit, c'était une furie, une esclave, une folle qu'il tenait dans ses bras, c'était une bacchante, et qu'il s'émerveillait de voir resurgir, au matin, gracieuse et lointaine. « Le feu sous la glace », s'était-il dit... Comment avait-il pu développer son amour à partir de tels clichés ? Comment avait-il pu s'extasier de cette ostentatoire dualité, et même la trouver troublante ? Quelle dualité vraiment, chez une femme qui vous dit « vous » le jour, et « tu » la nuit ? Et qui se conduit comme une étrangère dans les deux cas ? Dans son excès de détachement comme dans son excès d'ardeur. Et pourtant il avait eu plaisir – et, avait-il cru, un plaisir des plus subtils (quelle horreur !) – à jouer, avec elle et pour elle, le mondain et le prostitué, car jamais, jamais, elle ne l'avait jamais traité en pair. On n'affiche pas de ces dédains grotesques pour celui qui vous aime, et on n'inflige pas non plus la frénésie de ses déviations sexuelles à celui que l'on aime. C'était faux, odieusement faux ! Et si nulle image érotique ne dérangeait sa conscience, en revanche le souvenir de certains « À bientôt, chère amie », proférés d'une voix indécemment discrète devant des amis avertis, lui mettait le feu aux joues. Dans quelle honte, dans quelle farce prétentieuse s'était-il engagé, sous couvert d'un brillant marivaudage ? Ce n'était pas possible, lui qui avait plu, et aimé, lui qui avait été aimé et qui aimait encore l'amour, comment avait-il pu s'en faire une caricature si grotesque, si minable ?

— Que buvez-vous ? dit-elle en levant les yeux vers lui.

— Je vais me servir, et toi, que veux-tu ?

À peine avait-il lancé ce « tu », comme un défi, qu'il se sentit ridicule et il rougit. Ah non ! Tant qu'à faire, autant profiter de ce « vous » et de cette façade pour opérer un repli élégant et glacé et dérisoire ! Car comment quitter convenablement quelqu'un dans la chaleur de qui on s'est enfoui pendant deux ans ? Autant opérer un repli, donc, tout au moins confortable. Elle ne réagit pas et ne répondit pas. Il se servit à boire d'une main ferme, reposa le shaker devenu étranger sur cette étagère inconnue, avant de marcher vers un fauteuil, apparemment Louis XVI. Il se sentait si égaré dans cette maison, cet univers dont il connaissait et avait chéri chaque angle, qu'il fut presque soulagé de voir le visage hypocrite et familier d'un homme politique sur le petit écran. Il le regarda, mais cette fois avec une sorte de sympathie, voire de contrition : « Quand je pense, lui dit-il, que je te trouvais ridicule, mon vieux, gavé de toi-même, et prétentieux et malhonnête ! Quand je pense à quel point tu semblais dépourvu d'esprit et de cœur, et lâche jusqu'à la vulgarité derrière ta morgue ! Eh bien tu vois, j'aurais dû, dans mon élan, t'admirer aussi... Tu lui ressembles. » Et il étendit les jambes et posa ses mains sur les accoudoirs. Il se reposait. Son corps de petit garçon fatigué et endormi, mais toujours intact, son corps irait s'allonger tout seul, entre deux draps frais et désinvoltes, dans quelques heures, après la rupture, bien sûr, après la destruction de ce qui n'avait jamais été.

— C'est extravagant, non ? dit-elle. Ils disent tous la même chose.

Il hocha la tête. Il l'approuvait une fois de plus. Il l'avait toujours approuvée. Elle parlait d'une manière si indifférente ou si moqueuse que l'on n'osait la contredire, tant elle semblait prête, elle-même, à lâcher le terrain. En fait, elle ne l'était pas. Elle était cramponnée à ses petites opinions, ses expériences personnelles, son code de vie qui relevait plus du *Gault et Millau* que de la Bible. Et sa voix lasse, un peu traînante et si convaincante recouvrait une femme apeurée et, de ce fait, impitoyable. Oui, elle avait peur : peur de manquer d'argent, bien qu'elle fût riche, peur de vieillir, bien qu'elle fût jeune, peur d'être dévoilée, bien qu'il n'y eût rien sous cette aura d'élégance et de désinvolture qu'elle promenait partout. Il n'y avait rien derrière ça, nul souvenir horrible. Peut-être un homme volé à une amie proche, ou une avarice mal calculée, ou une ou deux personnes blessées à l'âme... Au pire, des orgies au Trocadéro et des tricheries au gin-rummy.

Et quand il l'aurait quittée, passé le premier moment de colère et de vanité blessée, ce serait bien de la peur qu'elle éprouverait jusqu'à ce qu'elle le remplaçât ; la peur d'être seule ; comme si elle ne l'était pas déjà, et à jamais, comme s'il n'était pas inéluctable qu'elle mourût dans la solitude et dans l'épouvante, comme elle avait vécu, comme si son premier cri, en venant au monde, avait été autre chose que le cri féroce et aigre d'un nouveau-né égoïste... C'était une de ces femmes qu'on n'arrive pas à imaginer enfant. Il s'en rendait compte tout à coup, et il se rappelait que tous les récits qu'elle lui avait faits de cette enfance – ces récits qui auraient voulu évoquer des jardins, des pelouses, des oncles distingués et des raquettes de tennis –, il se rappelait à présent que tout ce passé délicieusement anglais et paisible lui avait toujours fait l'impression, à lui, d'une suite de sons criards et désaccordés, comme si elle eût voulu transformer en image d'Épinal une sinistre affaire d'ennui, de morgue et d'onanisme. Elle faisait partie de ces gens dont l'enfance semble trouble et la vieillesse obscène, même si l'on n'en a aucune connaissance. Et il se rappelait même quelle avait été sa surprise lorsqu'elle lui avait parlé de son premier amant. Il avait attribué cet étonnement à la fragilité de sa maîtresse, à son air d'innocence et de chasteté. Il n'avait pas compris que c'était parce que, confusément, et malgré ses débordements nocturnes, elle était, à ses yeux, restée vierge, dans quelque méandre mystérieux de son être, ou alors qu'elle ne l'avait jamais été.

— Quels sont vos projets pour ce soir ? dit-elle.

Il eut envie de répondre brièvement : « Vous quitter », d'un coup, uniquement pour voir se modifier l'expression paisible, souriante et d'ores et déjà approbatrice de ce beau visage. Et en effet, s'il lui avait proposé d'aller au théâtre, sur une plage ou de faire l'amour, elle aurait été inévitablement d'accord. Elle aurait même applaudi un peu à son imagination et lui aurait même laissé entendre que ce souhait, si saugrenu fût-il, était justement celui qu'elle s'était formulé tout l'après-midi. Elle l'aurait même convaincu, après, que cette pièce, cette mer ou ces draps froissés étaient son œuvre à elle, qu'il n'avait fait que la suivre ; de même que s'il se montrait drôle, bavard et vivace toute une soirée, de même, après avoir participé au rire général, lui disait-elle en rentrant, indulgente : « Tu t'es bien amusé, non ? » Elle laissait ainsi entendre que cette joyeuse soirée était un cadeau qu'elle lui avait fait. Car elle n'était pas drôle : elle riait quand on était drôle, elle applaudissait quand on était intelligent, et elle criait quand on lui faisait bien l'amour. Mais elle-même, elle-même ne faisait ni rire, ni réfléchir, et, si elle faisait jouir, c'était vraiment parce que la mécanique physique des corps humains rendait ce plaisir inévitable. Brusquement, il se faisait l'effet d'un de ces épais et maladroits sauriens, que l'on voit traîner dans les marécages exotiques, promenant sur leurs têtes aveugles un de ces oiseaux braillards, funestes et boulimiques, de couleurs éclatantes, qui se nourrissent exclusivement des déchets et des boues ramassés par leurs porteurs. Elle n'aurait aucun mal à trouver un autre crocodile, un hippopotame sur lequel se jucher. Son plumage était bien assez beau et sa voix assez perçante pour que nul animal ne prît peur de ses coups de bec incessants et avides...

— Je n'ai pas envie de sortir, dit-il.

Et il prit son paquet de cigarettes dans sa poche. Elle sourit et, d'un geste vif, lui envoya à la volée un petit briquet somptueux et trop plat qu'il lui avait offert récemment. Il l'attrapa au vol et ne s'étonna pas de ce qu'il fût aussi froid, comme s'il n'avait pas été niché, avant, dans une main humaine. Comme si l'or et l'argent ne réassumaient plus leur rôle de bons conducteurs de chaleur ou de désir lorsqu'ils étaient au contact de cette main élégante et froide, privée de sang. C'était son briquet, c'était son sofa, c'était sa maison, c'étaient ses affaires et c'était son corps. Et qu'il eût payé tout cela, sans que cela le rendît le moins du monde propriétaire, ne le dérangeait pas. C'était que tout cela il l'eût chéri qui le mortifiait à présent.

Un homme et une femme s'embrassaient à présent sur l'écran. Ils étaient beaux comme se doivent de l'être les acteurs, et la main de la femme, crispée sur la nuque de l'homme, semblait éperdue de tendresse, de reconnaissance, de quelque chose de fou, d'atrocement précieux, et qui brusquement lui manquait jusqu'au vertige, jusqu'au chagrin. Une sorte de boule se nouait dans sa gorge, coinçait sa veine jugulaire, et empêchait son sang d'envahir son cœur, et de le faire battre. Il était seul, il était pauvre, il avait froid et peur et faim, il n'avait pas d'âge, pas de nom, pas de futur et pas d'amis. Il était nu, et il grelottait de tendresse parce qu'une actrice stéréotypée embrassait un jeune premier incolore, sur le petit écran. S'il disait trois mots, la femme assise là, près de lui, se mettrait nue, promènerait ses mains sur son corps, le palperait, le provoquerait, lui dirait des mots épouvantables, des mensonges, lui dirait « Je t'aime » et le mordrait au cou. Après, il serait encore plus solitaire, et ce grelottement serait transformé en un simple claquement de dents tout juste refrénable. Il la regardait. Elle avait les yeux fixés sur le couple énamouré devant elle, elle arborait un sourire légèrement teinté de mépris, un sourire qui voulait dire que c'était navrant, mais que c'était ainsi, l'amour.

« Alors, se dit-il avec une subite terreur, mais alors, si elle éprouve un tel mépris pour l'amour, pourquoi s'obstine-t-elle à le faire et à en parler ? De quel droit en emprunte-t-elle les mots, les gestes et jusqu'au masque déchirant ? » Il avait envie de la frapper pour cela, comme on frappe un faussaire. Elle n'avait jamais aimé, avant lui ; elle le lui avait bien dit, et il en avait acquis un imbécile orgueil, à l'époque. Oui, par quelle fatuité imbécile et criminelle avait-il pu, à ce moment-là, se cacher le corollaire de cet aveu ? À savoir que si elle n'avait jamais aimé avant lui, elle n'aimerait jamais après lui, et que, de surcroît, elle n'aimait pas non plus pendant ? Il l'avait connue maîtresse d'un autre, et il s'était réjoui de la facilité étonnante avec laquelle elle avait abandonné cet autre pour le rejoindre. Il avait attribué à l'amour cette cruauté impavide qu'elle avait alors affichée, avait attribué à son propre charme cette rapidité, et il avait appelé élan ce qui n'était que désertion. Déserteuse ! C'était le terme ! C'était une déserteuse passant d'un désert à l'autre et rendant tout autour d'elle, les cils, les visages, la moquette, l'aube même, rendant tout aride, glacé et terne. L'autre homme s'était tué, plus tard, sur un platane, et il se rappelait lui avoir appris la nouvelle avec des ménagements ; partant d'un principe obscur, mais fondamental chez lui, un principe idiot, que l'on ne pouvait pas appuyer sa peau sur celle de quelqu'un, ni projeter directement son souffle dans la bouche de quelqu'un, ni amener des larmes de plaisir, de tristesse dans les yeux de quelqu'un, sans laisser en même temps, toujours vivant et vulnérable, un peu de sa peau, de son souffle et de son regard sur ce quelqu'un. Elle n'avait pas bronché, d'ailleurs, sous la nouvelle, elle avait légèrement haussé les épaules et s'était détournée par ce qu'il avait cru être de la pudeur. Elle avait même parlé de mauvaise chance ; et pour elle, il relevait de la malchance que cet homme eût été quitté par elle, et eût perdu la direction de sa voiture, un peu plus tard. Elle n'intervenait en rien dans le cours de cette vie, si brève, elle n'était en rien mêlée à cette histoire d'amour, ni à cet accident mortel, et il frissonna tout à coup, comme si cet accident n'en eût pas été un, et comme s'il eût été promis lui-même, dès qu'il l'aurait quittée, à une mort rapide. « La jeune Parque », se dit-il, et, comme par ironie, il la vit tendre le bras, prendre auprès d'elle la tapisserie raffinée et multicolore qu'elle avait entreprise depuis peu, il la vit froncer les sourcils avant d'agiter ses doigts longs et fuselés avec méthode. C'était bien symbolique, cette tapisserie inutile et qui le resterait… Il était inconcevable et inimaginable qu'elle pût tricoter un chandail, un chapeau, une aumônière, n'importe quoi en somme, pour quelqu'un. Il ne l'avait jamais vue passer le pain, ni tenir une porte, ni offrir du feu. Et si elle lui avait envoyé son briquet tout à l'heure à travers la pièce, ç'avait été d'une manière ostentatoire, pour bien lui rappeler que c'était aussi son cadeau – et le choix onéreux qu'amoureux d'elle il avait fait chez un bijoutier – qu'elle consentait à lui prêter. Elle n'aurait jamais rien fait gratuitement pour lui, et le seul avantage qu'il eût pour elle, sur des millions de petits Chinois affamés, c'était qu'il avait lui, dans sa poche, de quoi payer leur addition chez *Maxim's*.

Elle avait les yeux baissés sur sa tapisserie, les sourcils froncés, elle semblait en proie à des difficultés techniques. Elle croisa ses aiguilles, rassembla ses pelotes de laine et posa le tout devant elle, d'un geste résigné. « Elle est blonde, elle est incroyablement blonde », se dit-il brièvement avant qu'elle ne se retournât vers lui et ouvrît la bouche :

— Vous savez, dit-elle, Cyril… il m'aime, et je vais vous quitter.

Et, tout aussitôt, il se sentit transpercé d'un monstrueux chagrin, il eut envie de vomir et de se cramponner à sa robe. Et les cheveux blonds illuminèrent une dernière fois, comme une flamme, ce qui allait être sa vie à venir : un enfer.

Quelques larmes dans le vin rouge

« Une heure... Je lui donne une heure. Une heure de retard, c'est le maximum qu'une femme puisse supporter. Une femme comme moi, en tout cas. Une femme heureusement mariée, belle, reconnue belle, désirable, désirée. Une femme désirée par des douzaines de types... dont six que je peux nommer. Une femme avec un ravissant chapeau et de ravissants renards, qui attend une demi-heure sur un banc de pierre, dans un square de Paris, un homme en retard, c'est une chose honteuse, inconcevable. C'est grotesque. Je suis belle, élégante, désirée et grotesque. Mais, dans une heure et demie, je serai encore là et, s'il y tient, je piétinerai mon affreux chapeau et je laisserai ces sales bêtes sur ce banc. Et, s'il y tient, en arrivant tout à l'heure, je me mettrai nue dans ce square et je le suivrai à pied dans toute la ville.

Et s'il ne vient pas, je me tue. Je rentre à la maison, j'embrasse Henri, je mets mon chapeau sur mon lit (puisque ça porte malheur), et je mets mes renards sur un cintre (puisque je suis d'une nature rangée). Alors je prends dans ma ravissante salle de bains le flacon caché derrière mes démaquillants, je le vide dans ma main, et j'avale ces comprimés amers et blancs, un par un, avec de l'eau tiède. Le nombre qu'il faut. Ni trop, ni trop peu. Je ne vais pas m'offrir le ridicule de me louper. Le ridicule, ça suffit pour moi : aimer ridiculement, vivre ridiculement, mais mourir sans comique. Je n'ai plus d'humour, moi. De l'amour, oui, avec un grand "A", mais le grand "H" et le petit "u" de l'humour sont partis par la fenêtre depuis longtemps. Depuis Bernard Faroux.

Bernard Faroux ! Quel nom !... sans charme, sans rien. Quand je pense que j'étais Roberta Durieut, une femme heureusement mariée, élégante, désirable, désirée, etc. Une femme qui ne connaissait pas Bernard Faroux. Et maintenant, depuis six mois, je suis une loque qui connaît Bernard Faroux. Bernard Faroux qui est dans les assurances, qui n'est pas spécialement beau, ni spécialement intelligent, qui est prétentieux, égoïste et goujat – puisqu'il me fait attendre depuis dix minutes maintenant –, et que j'aime. Je n'attendrai pas une seconde de plus qu'une heure. D'ailleurs la nuit tombe, ce banc est glacé, ce square, désert. Il pourrait m'arriver n'importe quoi. Je pourrais être attaquée par n'importe qui, par ce clochard, par exemple, qui arrive avec sa musette, sa maigreur et sa crasse. Il n'est même pas vieux, il pourrait très bien me tordre le cou. Mais qu'est-ce qu'il fait ? Il s'assoit sur mon banc ? C'est le comble ! On doit avoir un air..., moi, avec mes renards, lui, avec ses hardes ! Ça va faire ricaner Bernard. S'il vient. »

Lucas Dudevent, connu sous le nom de « Lulu les Trousses », étira ses jambes soigneusement et soupira d'aise. Il avait vu juste : à part la pécore et son minet de cou à côté, le banc était libre. C'était devenu l'enfer pour trouver un banc tranquille. Dès les premiers beaux jours tous les citadins sans voiture envahissaient les bancs de Lucas, ses fidèles bancs lisses et nus de l'hiver, s'y avachissaient des heures, s'y embrassaient à bouche que veux-tu, y lisaient des livres et, quelquefois – le pire –, y veillaient sur des marmots braillards qui le regardaient de travers. Mais à présent c'était la nuit et, dans ce square sinistre, ce banc de pierre, rudement dur, décourageait les bourgeois, rembourrés ou pointus. Sauf cette brune-là. Réellement belle, cette brune, sous son chapeau. Elle regardait sans arrêt vers l'allée, elle attendait visiblement quelqu'un... Il fallait être un fieffé crétin pour faire attendre cette femme-là ! Si Lucas n'avait pas renoncé depuis longtemps aux belles femmes, aux belles voitures et à notre belle civilisation, il lui aurait fait la cour. Et s'il n'avait pas été habillé comme il l'était, ça aurait fort bien pu marcher. À trente-huit ans, bien habillé et en gaieté, il tombait qui il voulait, le beau Lucas des années 1960.

Il ouvrit sa musette, attrapa son précieux flacon plein à ras bords, le déboucha, leva le coude, mais arrêta son geste tout à coup. Les épaules de la femme à côté étaient secouées de sanglots silencieux mais violents, affreux à voir, et Lucas, comme malgré lui, tendit son précieux flacon vers elle. Le verre tinta sur le banc, la femme se retourna et Lucas la vit de face : il vit deux yeux clairs, étincelants sous la voilette, cernés de khôl et de chagrin, des yeux débordés de larmes rondes et irrépressibles. Ils se contemplèrent un long instant, regard bleu et regard noir, regard éploré et regard compatissant. Mais elle sembla se réveiller, murmura « Merci », prit la précieuse bouteille de Lucas et en avala une grande goulée avant de la lui rendre. Ses pleurs tarirent instantanément. Elle redevint rose, sourit presque, et Lucas nota une fois de plus avec fierté les ineffables bienfaits du vin rouge.

— Ça fait du bien, dit-il, avec tout l'orgueil du fidèle consommateur.

— Beaucoup de bien, dit-elle en tirant un mouchoir de sa poche.

Elle s'y moucha, et si vigoureusement que le bruit l'étonna elle-même. Elle jeta un coup d'œil d'excuse vers Lucas, mais celui-ci, gentleman jusqu'au bout, buvait à son tour sans rien paraître entendre, sinon le chant délicieux du vin dans ses veines.

— C'est quelle marque ? demanda-t-elle.

— Ça, je n'en sais rien, dit Lucas en s'essuyant la bouche sur sa manche. En tout cas, il fait du 13. Je le trouve chez Dobert, un copain. Vous en voulez un peu plus ? proposa-t-il poliment, mais sans enthousiasme – car en fait, il comptait sur cette bouteille pour la soirée.

— Non, non, merci beaucoup, dit la brune avec tact. Mais ça m'a remontée, vraiment. J'en avais besoin…

Du moment qu'elle faisait allusion elle-même à ses larmes, Lucas pouvait s'enquérir de leur cause :

— Vous avez le cafard, ou on vous a posé un lapin ?

— Je crois bien qu'on m'a posé un lapin, dit-elle. Ça fait une bonne demi-heure maintenant…

— C'est un con, ce type, dit Lucas fermement. Un rude con, si vous permettez.

— … mais je n'attendrai pas plus d'une heure, continua-t-elle d'une voix forte. Ça, je me le suis juré. À 6 heures moins une, je me lève, je rentre chez moi et… Et voilà.

— À votre place, commença Lucas, je… Oh, et puis !…

Il fit un geste vague de la main, son visage devint pensif, « et presque beau », songea Roberta.

— À ma place ? reprit-elle.

— Ça ne me regarde pas, dit Lucas, mais j'ai attendu des femmes sur des bancs, dans le temps, et chaque fois que c'était plus d'une heure et quart, ça a mal fini... Pour moi, je veux dire.

Elle le regardait fixement.

— Et autrement ?... Et quand vous étiez parti... avant ?

— Quand j'étais parti avant, c'est que j'avais pu partir, dit Lucas en la regardant à son tour. Ça, elles le comprenaient aussi sec. Et après, elles rappliquaient vite fait.

Il y eut un silence pensif. Roberta et Lucas semblaient le couple allégorique d'un philosophe et de son élève. Elle regardait ses pieds, puis l'allée. Comme distraitement, elle tendit la main vers Lucas qui, résigné, y posa la bouteille. Il avait charge d'âme. Elle en avala un grand coup, remarqua-t-il avec chagrin, et s'essuya la bouche sur sa manche en poils de luxe avec le même geste que lui.

— Et une fois qu'elles vous avaient rattrapé ? dit-elle d'une voix hésitante.

— À ce moment-là j'étais rentré chez moi, dit Lucas en riant malgré lui (car il lui manquait trois dents devant, et ça l'agaçait devant sa nouvelle conquête). Et chez moi, il y avait la Clopinette qui, elle, qui m'aime, acheva-t-il brièvement sinon grammaticalement. Alors...

Il eut un geste vague avec cet « Alors », mais qui voulait dire si clairement : « Alors, une fois au chaud, sous mon pont, avec la Clopinette... » que Roberta fut envahie de la même pensée : « Alors, une fois au chaud, chez moi, avenue Paul-Doumer, avec Henri… »

Elle se leva lentement, elle s'épousseta. « C'est une superbe femme, pensa Lucas, bien fichue, et tout… »

— J'y vais, dit-elle. Chez moi.

— C'est que ça fait pas l'heure, hein ? dit Lucas, les yeux plissés par le rire.

Il se sentait content et farceur. Il allait rester là et voir arriver le type. Il se promettait un bon moment. Faire pleurer une femme avec des yeux de cette couleur, ça se paie.

— Non, dit-elle en riant à son tour. Non, ça ne fait pas une heure. Tant pis, je… Au revoir, monsieur. Merci pour le… Merci pour tout.

Elle eut un geste de la main qui désignait Lucas, et même la bouteille, ce qui alarma un peu son propriétaire. Mais déjà elle se penchait, mettait ses deux mains chaudes sur les mains de Lucas, les serrait un peu, et filait. Elle disparut dans l'allée, « juste à temps » pensa Lucas en voyant arriver, trois secondes après, un jeune homme irrité et impatient qui piaffa près de lui toute la demi-heure suivante.

Bernard Faroux était d'autant plus irrité qu'il avait été réellement coincé dans un embouteillage.

Mais de même qu'il n'eût jamais pensé à s'excuser de son retard, de même il n'eût jamais pensé que Roberta pût ne pas l'attendre ; elle, au lieu de ce clochard débile qui riait tout seul sur le banc. Il en conçut du dépit, très vite, des doutes, ensuite, et de l'amour, donc, presque aussitôt. Mais Roberta ne l'attendit plus jamais nulle part. Dieu sait pourquoi, Roberta ne l'aimait plus.

Musique de scène

Cet air lui était passé par la tête à la fin de la soirée, et il lui avait paru si séduisant que, pour une fois, il s'était réfugié au vestiaire pour en écrire les premières mesures sur son carnet d'adresses : *do-mi-si, si-la-sol*... Il l'avait d'abord imaginé au piano, mais il y avait une gaieté, une liberté dans ces premières notes qui demandaient plus. Il défaisait ses lacets en sifflotant, oubliant un instant la scène commencée par Anita dans la voiture. Pas pour longtemps.

— Tu m'écoutes ? Je ne te demande pas si tu m'entends, mais si tu m'écoutes ?

Anita se tournait vers son mari avec sur son beau visage ce qu'elle pensait être une expression mi-affligée, mi-sarcastique. Elle n'imaginait pas un instant que son nez pût luire, ni ses premières rides ressortir cruellement dans cette aube d'été. Et ce manque d'imagination se révélait plus fâcheux que d'habitude. « Manque » n'était pas le terme, d'ailleurs, car elle pouvait avoir des excès d'imagination mais dans un sens unique : celui de la revendication.

Tel l'oiseau faisant son nid, Anita accumulait petit à petit des incidents insignifiants, hétéroclites, parfois même contradictoires, qu'elle arrivait miraculeusement à additionner. Ses comptes étant faits, elle les lui ressortait un beau jour, triomphalement, comme autant d'exemples, de preuves de ses théories ; ses théories basées sur la superficialité, l'indifférence, le snobisme, même, de Louis.

— Mais je t'écoute, dit-il faiblement.

Au fond, c'était peut-être un tempo de jazz qu'il lui fallait : une contrebasse d'abord, une clarinette, et peut-être un banjo...

— Je ne comprends pas ! Vraiment je ne comprends pas. Je suis peut-être idiote...

« Il y a des possibilités qu'il ne faut pas évoquer », pensa rapidement Louis avec gaieté. Mais il arbora aussitôt un visage de marbre, lointain, presque irrité, comme si l'hypothèse de l'idiotie d'Anita, par son absurdité même, sonnait comme une contrepèterie déplacée dans une conversation sérieuse.

— Je ne comprends pas non plus, dit-il. C'était une soirée comme les autres...

Elle eut un petit hennissement vainqueur et s'assit délibérément sur le fauteuil en face de lui, les mains bien à plat sur les accoudoirs, avec dans les yeux un éclat résolu, cette lueur qui signifiait que ce n'était pas, hélas, une simple humeur qu'il devait retourner, mais bien un de ses raisonnements interminables. Il soupira et alluma une cigarette tout en remuant ses doigts de pied libérés avec satisfaction.

— Tu as dit le mot, mon pauvre Louis : « une soirée comme les autres ». Ni mieux ni pire : une soirée inutile. Mais que peuvent bien t'apporter tous ces snobs ?

Depuis qu'il avait obtenu l'oscar de la meilleure musique de film, à Hollywood, l'an passé, il était vrai qu'une certaine société à Paris faisait fête à Louis ; et il était vrai aussi qu'il prenait plaisir enfantinement à cette atmosphère de luxe, d'affabilité et de compliments qui lui avait manqué si durement pendant des années. « Qui *leur* avait manqué », pensait-il en toute bonne foi, car Anita s'était assez plainte de la vie, pendant ce qu'elle appelait « les années maigres ». Son dédain, maintenant ostentatoire, pour ce qu'elle avait tant désiré lui semblait un peu rapide, un peu systématique. Elle était une jolie femme, elle s'habillait bien, y prenait visiblement plaisir ; et Louis se demandait quelle hargne lui inspirait ce mépris de plus en plus poussé. Elle continuait :

— Tu ne sais pas, par exemple, ce que m'a dit ta belle amie Laura Knoll ? Devine !...

— Je ne devinerai jamais, dit-il fermement.

— Je l'espère. Elle a eu le toupet de me dire : « Ce que j'envie, ma petite Anita (elle prit une voix pointue et ridicule, très différente de la jolie voix de Laura Knoll), ce que je vous envie, ce n'est pas le succès actuel de votre Louis, ce sont vos années difficiles : vivre avec un créateur doit être une chose si merveilleuse !... que les ennuis d'argent... : bah... ! »

Elle avait prononcé cette dernière phrase avec une emphase sarcastique, et Louis eut envie, et de lui rappeler qu'après tout cette phrase n'était, en soi, pas si fausse, et en même temps l'envie plus cruelle de lui signaler que Laura Knoll ne se trompait pas tant puisque ces années difficiles, ces années maigres avaient été les années comblées et fastueuses de leur amour : pendant ces cinq ans, il avait été follement amoureux d'Anita et parfaitement enchaîné à elle. Et si le début des années riches avait coïncidé avec le déclin de sa passion, ce n'était vraiment pas sa faute à lui, Louis. Il avait ramené sa réussite vers elle, il l'avait posée à ses pieds triomphalement, sottement peut-être, mais il n'aurait tenu qu'à elle d'en faire un succès partagé. Seulement une intellectuelle austère, méprisante s'était révélée chez elle, une nouvelle femme qu'il n'avait jamais connue, ni eu l'intention d'épouser, et à qui il n'avait même plus envie de le dire. Il ne pensait plus, déjà, qu'à esquiver, éluder, fuir...

Elle insistait, frappait, ou tentait de frapper :

— Ça ne te choque pas ? L'outrecuidance de cette oie richissime, enviant notre dèche, ne te choque pas ? Il est vrai que Laura Knoll est intouchable, ici...

— Mais que vas-tu chercher ? dit-il en détournant la tête nerveusement.

Car, pour une fois, elle tombait juste : Laura lui plaisait, malgré ses visons, et il espérait même, avec un peu de chance, être très prochainement son amant. Elle lui avait même souri d'une certaine façon pendant la soirée, un sourire attendri confirmé par ses yeux violets, qui aurait pu donner de l'espoir à quelqu'un d'encore moins prétentieux que lui. Il sourit. Depuis deux ou trois ans, les occasions se multipliaient dans ce domaine, mais, s'il en avait profité trois ou quatre fois, ç'avait été avec un tel luxe de précautions que les allusions d'Anita ne pouvaient être que gratuites. Il haussa donc des épaules innocentes, se leva, s'étira et se dirigea vers la salle de bains. La voix d'Anita le poursuivait pendant qu'il s'arrêtait devant son propre reflet dans la glace, le reflet d'un homme de trente-cinq ans, un peu fatigué, un peu flou, mais avec une bonne tête, après tout.

— J'imagine que je t'ennuie, disait la voix dans la chambre, mais si je ne te dis pas la vérité, qui te la dira ? Tu as besoin…

« Etc. Etc. », pensa-t-il en ouvrant les robinets à grand fracas. *Do-mi-sol, do-mi-ré*… Oui, il y avait un charme dans cet air, une gaieté un peu insolente qui lui permettrait même de l'écrire en mineur, voire d'y ajouter des violons, sans en diminuer l'allégresse. Décidément il lui faudrait un grand orchestre… Et il demanderait à Jean-Pierre d'en faire l'orchestration avec des rythmes un peu rapides.

Il prit un tube de dentifrice, l'ouvrit, et s'immobilisa. Dans la glace, le visage d'Anita derrière lui apparaissait, blanc de colère, comme convulsé par la fureur, et il se demanda une seconde quelle était cette étrangère, cette harpie qui osait s'interposer entre sa musique et lui-même. Elle fit deux pas, posa sa main baguée sur le robinet et le ferma avec violence. Il vit la main blanche rougir aux jointures, et il remarqua au passage l'éclat bleu saphir de la bague qu'il lui avait donnée deux mois auparavant pour leur anniversaire, celui de leur mariage, de leurs dix ans de mariage. Ils s'étaient mariés pour le meilleur et pour le pire ; sans savoir, dans son cas, que le meilleur allait entraîner automatiquement le pire.

— Tu pourrais peut-être me regarder quand, pour une fois, je te parle sérieusement…

Elle était appuyée au lavabo à côté de lui, elle respirait avec peine et ils se voyaient dans la glace comme deux ennemis. Plus exactement, elle le regardait comme un ennemi, et il était gêné, presque effrayé par cette sensation de haine si proche. « Du calme, pensa-t-il, du calme. » Il tendit la main, rouvrit le robinet sans éclaboussure et passa sa brosse à dents dessous, d'un geste mesuré, un peu trop mesuré peut-être.

— Ce n'est pas « pour une fois » que tu me parles, dit-il d'une voix douce (un peu trop douce aussi). Tu n'arrêtes pas de me parler sérieusement. Ne pourrais-tu envisager de me parler juste aimablement ?

Elle ouvrit la bouche pour protester mais déjà il enchaînait d'une voix urgente, pressée, qui l'immobilisa.

— Écoute, dit-il, il faut arrêter ça. Il faut arrêter ces reproches, cette manière d'être. Tu me fatigues, Anita, tu me casses les pieds. J'ai un air dans la tête en ce moment, et je l'entends depuis deux heures : je l'entends à la clarinette, je l'entends au violon, je l'entends à la harpe, et, quoi que tu puisses dire, aussi fort que tu puisses crier, cet air couvre ta voix. Tu comprends ?

Il sentait une espèce d'exaltation le gagner, une exaltation qu'il savait dangereuse mais qui était irrésistible, gonflée, comme une rivière, par des dizaines de petits torrents, nés de dizaines de petites colères réprimées.

— Et avec cet air de musique, continua-t-il, s'il est bon, je paierai le loyer, la voiture, tes robes, mes costumes, la vie de tous les jours, et même des dîners au restaurant à ces gens que tu méprises, sans en avoir le droit. Et s'il le faut, je paierai aussi des avions, des billets d'avion qui m'emmèneront loin de toi, de plus en plus souvent. Et s'il le faut, grâce à cet air, je paierai aussi un autre loyer et une autre voiture, pour que nous ayons deux vies séparées, pour que je sois tranquille, et pour que je puisse, le soir, siffloter de la musique en me lavant les dents en toute tranquillité !

Dans la glace, il vit le visage de sa femme rougir, il la vit reculer d'un pas, il vit même les larmes monter à ses yeux avant qu'elle ne lui tournât le dos et sortît de la salle de bains. Il porta la brosse à dents à sa bouche et commença à se brosser les dents méticuleusement, le cœur battant : il avait horreur d'être désagréable. Et déjà il entrevoyait, avec une résignation mêlée de pitié et d'amertume, une réconciliation sur l'oreiller, la fausse et éternelle réconciliation qui allait suivre... Il s'écorcha la gencive et regarda avec indifférence le petit filet de sang couler sur sa lèvre inférieure. À sa propre surprise, l'étranger un peu hagard qui lui faisait face se mit soudain à sourire. *Do-mi-sol, fa-mi-sol*... Il avait trouvé ! Cet air méritait des orgues. Non pas les fades orgues empesées d'un mariage catholique, mais les grandes orgues trépidantes de la liberté. Il en exposerait sûrement le motif d'emblée, sans fioritures, peut-être à l'aide d'un clairon... Sifflotant, il rentra dans la chambre d'un pas viril, le pas du soldat vainqueur. « Mais vainqueur de quelle triste lutte ? » songea-t-il en apercevant sur le champ de bataille sa morne vaincue, drapée dans une dignité et une chemise de nuit également transparentes. Pour lui assurer une défaite honorable, il lui fallait encore faire toucher les deux épaules à cette femme, et il se pencha sur elle, résigné au plaisir.

Anita avait eu peur, l'avait montré, et sûrement s'en voulait, à présent qu'il gisait contre elle. « Doublement triomphant », pensait-elle sans doute aussi (comme si leur étreinte eût été une victoire pour lui). Il la sentait s'énerver dans l'ombre. Il s'évertuait à respirer régulièrement, profondément, comme sont censés faire les dormeurs ; mais bizarrement, cette régularité forcée l'essoufflait. En même temps il refrénait une toux et une envie de fumer aussi lancinante que son envie de rire. Car le visage d'Anita tout à l'heure, grâce à une mimique éloquente, avait été l'allégorie parfaite – et comique – de l'orgueil battu par le désir. Elle avait imprimé si rapidement à son corps, après le recul instinctif de la révolte, l'élan tout aussi instinctif de la sensualité qu'ils s'étaient cognés rudement et sottement dans le noir ; et qu'il avait failli une seconde lui demander ce qui n'allait pas, avant de comprendre, Dieu merci, le sens de toute cette agitation. Seul, ensuite, le souvenir de Laura, sournoisement invoqué, l'avait aidé à ne pas faiblir tandis qu'elle se dépensait inconsidérément en cris et en soubresauts. Néanmoins, il continuait à respirer comme un vrai métronome et, dans quelques instants, il pourrait impunément se retourner vers le mur, avec le grognement stupide du mâle livré à un sommeil réparateur et intouchable. Il raidissait déjà les mollets pour sa volte, lorsque la voix d'Anita l'immobilisa, le souffle court, donc éveillé et trahi par lui-même.

— Comment avons-nous pu en arriver là ? demandait la voix d'Anita, une voix atone, désolée, « un peu la voix de cette belle actrice dans *Hiroshima mon amour* », songea-t-il inopinément.

Un dernier espoir le gardait silencieux, mais la même voix triste et douce enchaînait déjà :

— Ne fais pas semblant de dormir, mon pauvre chéri. Réponds-moi... Comment avons-nous pu en arriver là ?...

Et il s'entendit répondre malgré lui, d'une voix enrouée et misérable :

— Où ? En arriver où ?

— À nous dire les choses affreuses que nous nous sommes dites.

— Comment ? Comment ? dit Louis soulagé, car il avait craint un instant qu'elle fît allusion à leurs ébats précédents, mais, heureusement pour Anita (comme pour presque toutes les femmes d'ailleurs), le désir du mâle était en soi une preuve d'amour – la manifestation même de ce désir semblant en assurer la nature passionnelle.

— Comment ? Mais bêtement ; on s'est énervés, ce n'est pas grave, dit-il d'une voix rassurante. Allez, dors.

— Ce n'est pas grave ?... Tu crois vraiment ce que tu dis ?

Eh non, il ne croyait pas ce qu'il disait, mais ce n'était plus à elle qu'il avait envie de l'avouer : c'était à Laura, ou à Bob, son meilleur ami, ou à sa mère, ou à sa concierge, à n'importe qui, sauf à elle. Il n'avait plus envie de lui parler de quoi que ce fût (et surtout pas de la seule chose dont elle eût pu vraiment exiger qu'il lui parlât – et à elle seule –, c'est-à-dire de lui et d'elle, d'eux et de leur futur).

« C'est devenu impossible », constatait-il tandis que, relevée et appuyée sur le coude, elle se penchait vers lui, vers la masse inanimée et noire que, contre le petit jour, devaient former ses épaules et sa tête baissée, cachée sous ses cheveux. Il sentait l'odeur raffinée de son parfum mêlée à celle de son corps, de leurs corps après l'amour, cette odeur qui avait été pour lui l'odeur même du bonheur, une odeur brûlante et tendre ; et une main affolée, surgie du passé, agrippa sa gorge, y secoua un sanglot sec, un spasme sans larme dont la violence l'étonna. « Je devrais lui parler, pensa-t-il très vite, tout en refusant cette hypothèse à l'instant même qu'il la formulait, je devrais lui expliquer, me faire comprendre, me faire reconnaître surtout. »

Car, depuis longtemps, c'était à un inconnu qu'elle s'adressait en lui parlant, un homme antipathique inconnu de Louis et que, pas plus qu'elle, il n'aurait jamais pu aimer, ni supporter. Elle avait mis à la place du Louis amoureux, et confiant, et gai, qu'il savait avoir été, un goujat snob et lointain. Lui, du moins, n'avait jamais oublié la jeune fille charmante et heureuse, la femme sincère qu'elle avait été et à laquelle, chaque fois, il tentait de s'adresser. Et c'était toujours avec une tendresse désolée et stupéfaite qu'il la voyait refuser de l'entendre, tandis qu'elle trouvait, elle, semblait-il, à cette imposture dévoilée, une amère satisfaction intellectuelle. Peut-être aucun d'eux ne ressemblait-il plus à l'image qu'ils s'étaient offerte l'un à l'autre et que l'un et l'autre ils avaient aimée. Mais du moins, lui, ne la reniaitil pas : du moins, lui, la regrettait-il ! Du moins, ce dont lui se plaignait, c'était de n'être plus heureux, alors qu'elle, se plaignait, finalement, de ne l'avoir jamais été. « Et c'est, sans doute, pensa-t-il, ouvrant les yeux dans le noir, c'est, peut-être, parce que j'ai aimé vraiment cette femme et que je la regrette vraiment que je vais pouvoir la quitter. Ce qu'elle-même ne pourrait jamais faire : car moi, si je la quitte, ce sera en souvenir d'elle. »

La voix délirait là-haut, très loin :

— Tu sais, Louis, les mots peuvent mener très loin. Il nous faut faire attention. Tu ne dois plus rien me dire que tu ne penses profondément, ajouta-t-elle avec gravité, même par colère. Ça marque, tu sais... Tu m'écoutes ?

Mais il ne l'écoutait plus. Il ne l'écouterait d'ailleurs jamais plus. Il avait refermé les yeux, et ce qu'il écoutait, c'était le sifflotement d'un cycliste dans la rue déserte.

Il se disait que, bientôt, ce serait son air à lui qu'un autre homme libre – lui-même, peut-être – siffloterait à l'aube, dans une rue semblable.

La troisième personne du singulier

Le lendemain de son mariage, Lucas Ambrieu était inquiet sur son avenir. Son bonheur avait beau être une évidence pour tout le monde, il ne se posait pas comme tel à son esprit tourmenté. Il avait juré aux parents de Laurence, à sa famille entière, à ses amis, à elle-même, voire à ses anciens soupirants, de la rendre heureuse. Mais il n'avait pas vu, ni entendu que Laurence en fît autant auprès des siens. Il n'avait plus de famille, bien sûr, mais il avait des amis fidèles, et des amies tendres. Et Laurence, elle, ne leur avait rien juré. Pourtant, que signifiait pour elle la phrase de Marie-Claire, par exemple, cette chère vieille Marie-Claire témoin de Lucas pour son mariage ? « Vous allez le dresser un peu, ce voyou, n'est-ce pas, Laurence ? lui avait-elle dit. Vous allez le rendre un peu adulte, j'espère ?... Pas trop, bien sûr. » Qu'est-ce que cela voulait dire, pour une ouïe un peu fine, sinon : « Il faut veiller sur lui. Il ne faut pas que vous l'obligiez à jouer les grands bourgeois, ni à se prendre au sérieux. Il faut le laisser être heureux, ou plutôt continuer à l'être » ? Mais lorsque Jérôme, son ami d'enfance, avait gémi en riant : « Je suis si soulagé de vous confier ce vieux marcheur, Laurence... J'en avais assez de le perdre dans les boîtes de nuit pendant des semaines », cela voulait dire bien sûr en clair : « Aimez-le, chérissez-le, puisque c'est un grand sentimental. Et respectez-le assez pour qu'il se croie libre. »

« Oui, oui, je m'en charge. Je ne sais pas si j'y arriverai, mais je ferai tout ce que je pourrai », avait répondu Laurence en riant aussi. Lucas n'avait pas aimé cette dernière phrase : « Je ferai tout ce que je pourrai. » Comme s'il y avait une limite aux forces de Laurence, une limite aux forces d'une femme amoureuse... Pourtant, amoureuse, elle l'était. C'était elle qui avait voulu ce mariage, elle qui l'avait imposé de force, pratiquement, à sa famille, elle qui avait pleuré quand il lui avait offert de renoncer. Et l'on ne pouvait pas croire, vraiment, à de l'ambition de sa part : Lucas n'était qu'un publicitaire, un petit publicitaire dont l'affaire ne marchait pas trop mal, mais le père de Laurence avait les grandes minoteries de France. Oui, elle l'aimait. Elle était prête à lui consacrer « les plus belles années de sa vie ». Mais ces « plus belles années » seraient-elles aussi celles de Lucas ? Il avait quarante-cinq ans, et les meilleures années de sa vie, jusque-là, ç'avait été, à seize ans – en fêtant son baccalauréat –, sa découverte de « la femme ». Puis, à trente-deux ans – où il avait rencontré et épousé le grand amour de sa vie –, sa découverte d'« une femme ». Et enfin, à quarante – où il avait divorcé de cette dernière –, sa découverte « des femmes ». Laurence n'avait que vingt-cinq ans, il était son premier « homme ». Sinon son premier amant.

Mais quand même, malgré son amour, il était clair que le bonheur de Lucas n'était pas l'objectif principal de Laurence (ce n'était d'ailleurs pas, en général à vingt-cinq ans, celui des femmes éprises). Mais d'un autre côté, que son objectif fût son bonheur à elle-même, Laurence (et là, c'eût paru, à cet âge, bien compréhensible à quelqu'un de l'âge de Lucas), eh bien non : ce n'était pas vrai non plus ! Pas du tout ! Laurence obéissait visiblement à d'autres lois que celles de l'amour ; elle avait parfois un petit air résolu, calme, en partant chez son couturier ou à un dîner mondain, un air de tranquillité butée, cet air exclusivement fourni par le devoir accompli. (Ou par le désespoir – mais elle l'ignorait encore.) Or, le devoir conjugal n'était visiblement pas un devoir pour elle, Dieu merci ! Diriger sa maison non plus, puisque tout y était mené admirablement par Melinda, la femme de confiance téléguidée des confins de l'avenue Foch par la belle-mère de Lucas. Et ce n'était pas les quelques heures qu'elle passait à l'école du Louvre. Alors, qu'est-ce qui lui donnait, dans sa robe du soir, chez Régine, ou dans son manteau de flanelle à Longchamp (elle n'allait aux courses qu'à Longchamp, au grand désespoir de Lucas) ou même dans son blue-jean, chez eux – dans cette grande maison et petit jardin qu'elle avait trouvés à l'Alma –, qu'est-ce qui lui donnait cet air de vertu satisfaite ? Un air que voyait Lucas, mais un air que personne d'autre n'aurait pu voir ni nommer formellement (sauf peut-être Marie-Claire, mais elle était partie au Mexique pour un an). D'autant que l'on pouvait attribuer cet air à l'assurance, au bonheur, à la gaieté, à la coquetterie, au caractère, à l'ironie même ; mais cela venait – il le savait, lui – d'autre chose, autre chose très près du contentement de soi, mais qui n'en était pas, Dieu merci, car (et il ne l'aurait pas épousée autrement) elle avait parfois honte d'elle-même, de son aspect, de sa nature, etc.

C'est avec ces sombres questions, errant dans les lasses circonvolutions de son cerveau, que Lucas rentra chez lui, referma la porte du jardin derrière sa voiture et marcha vers le perron. Le jardinier épisodique, engagé lui aussi par l'avenue Foch, taillait des fleurs inconnues de Lucas. Mais, ses connaissances en botanique s'arrêtant aux coquelicots, aux roses et aux tulipes, Lucas allait passer devant lui avec un sourire niais et admiratif, quand l'homme se redressa. Il était petit, vieux, avec une bonne tête de jardinier de comédie. La belle-mère de Lucas avait toujours eu un personnel caricatural, au bord de la satire, et, songea Lucas, il n'y avait pas que le personnel : les amis, l'entourage et la famille entière de ses beaux-parents (à l'exception de Laurence, bien sûr) ressemblaient à une parodie féroce de la bourgeoisie.

— Bonjour, dit le jardinier en ôtant sa casquette.

Il aurait dû ajouter « Not'maît' », songea Lucas.

— Bonjour, dit Lucas aimablement. Ça va ?

— Oh, couci-couça, dit l'homme qui avait l'air embêté.

Lucas prit une voix engageante et s'appuya sur son pied droit.

— Je peux quelque chose pour vous ?

— Ça oui, il peut, crut comprendre Lucas, et il tendit l'oreille. Est-ce qu'il trouve ça joli ? demanda le jardinier.

Lucas se retourna : ils étaient seuls.

— Qui ? dit-il.

— Ben, lui…

Le jardinier pointait son doigt terreux dans la direction du « maître ».

— Moi ? dit Lucas, surpris. Oui, je suis content, c'est très joli…

« Ce bon jardinier n'allait pas bien non plus de la tête. Même ces travaux, paisibles et ancestraux, de la terre ne préservaient pas du stress… »

— Je me disais…, reprit l'homme, s'il tient à ces massifs, je lui garde, mais s'il préfère les plates-bandes, j'aurais vite fait de lui arranger.

Lucas changea de pied, hésita.

— Écoutez, dit-il avec douceur, si vous… si vous parlez de moi, moi, j'aime tout, toutes les fleurs. Je ne suis pas fou des massifs, mais c'est ma femme qui décide. Alors, voyez avec elle.

Il tourna les talons pendant que l'autre remettait sa casquette en marmonnant :

— Bon, alors, je demanderai demain à sa femme...

Lucas souriait. Il aurait parlé à Laurence de ce colloque tout de suite si elle n'avait pas été enfermée dans la salle de bains – d'où elle émergea dix minutes après pour le couvrir de baisers. Ils dînèrent chez des amis à elle, des Américains assommants mais à la mode, auxquels d'ailleurs Lucas comptait bien vendre un projet publicitaire époustouflant. Ce n'est que plus tard, dans la nuit, alors qu'elle reposait, nue, contre lui, qu'il lui parla du jardinier.

— Ah ! dit-elle d'une voix éteinte, Philibert ? Pauvre Philibert...

— Parce que, en plus, il s'appelle Philibert ? dit Lucas, enchanté.

— Il vient de la campagne, et je lui ai fait expliquer par sa femme qu'il devait nous parler à la troisième personne ; mais ça n'a pas bien réussi : il utilise la troisième personne, mais il dit « il », « elle », « lui », au lieu de « monsieur » et « madame ».

— Ah bon, dit Lucas, c'est ça !... Et pourquoi tiens-tu tellement à ce qu'il nous parle à la troisième personne ?

Il posait la question par désœuvrement, pour parler, pour ne pas abandonner déjà ce corps, auquel il gardait comme une immense camaraderie, après ces récents et violents corps à corps du plaisir.

— Comme dit ma mère, répondit Laurence, d'une voix ensommeillée mais non dépourvue de fierté filiale, si tu veux faire ta vaisselle toi-même, rien ne t'empêche de te tutoyer dans la glace ; mais si tu nourris et paies quelqu'un pour ça, ce n'est pas non plus pour qu'il te tutoie.

— Entre me dire « Tu aimes les tulipes ? » et « Monsieur aime les tulipes ? »..., commença Lucas, mais elle dormait déjà, son souffle l'avouait.

Il s'endormit à son tour, un peu mécontent. Il n'aimait pas ces maximes de faux bon sens, venues ou non de sa mère, dont Laurence enrobait si volontiers ses accès de mauvaise foi.

Quelques jours plus tard, ayant parfaitement oublié ce jardinier, Lucas fut tout surpris lorsqu'il le vit lui ouvrir la portière, tête baissée, triturant son béret entre ses mains – trop sûrement calleuses.

Lucas avait eu une dure journée avec un fabricant sans goût, et il jeta un coup d'œil hostile au pauvre homme qui en baissa et l'échine et les yeux. Lucas fit un gros effort.

— Alors, mon cher Philibert... (se rappela-t-il par miracle), tout va bien ? Ça va être beau ici.

— Elle ne lui a pas dit ?

Le sibyllin de sa question était renforcé par le dramatique de l'intonation. Cela aurait très bien pu être : « Andromaque ne lui a-t-elle pas dit qu'Hector était mort ? »

— Elle ne lui a..., enfin, elle ne m'a pas dit quoi ? Et qui, d'ailleurs, mad..., ma femme ?

Lucas rougit : il avait failli dire « madame », lui aussi.

— Sa femme, oui, dit l'autre, qui se débrouillait fort bien, lui, finalement, avec tous ses personnages grammaticaux. Elle lui a rien dit ?

— Non, dit Lucas prudemment, non.

— Eh bien, elle aurait dû, reprit le jardinier avec une autorité inattendue. Parce que s'il ne change pas la terre au fond, ils n'auront rien à regarder, ce printemps. Je peux lui planter que du lierre, quasiment, dans son terreau...

— Eh bien, changez-la-lui, dit Lucas que le fou rire gagnait, et il s'éloigna.

Il rentra dans la chambre de Laurence, les larmes aux yeux, et tenta de lui expliquer son hilarité, mais, quand il y parvint, elle ne rit pas, elle sembla même excédée. Lucas se calma vite mais il eut le temps, quand même, de remarquer les narines pincées de sa femme, sa bouche tirée et cette ressemblance subite et effrayante avec sa mère.

— Ce n'est pas drôle, dit-elle. Tu sais, j'ai assez de mal, et Melinda aussi, à inculquer quelques notions à ces gens-là... Si sa femme ne cuisinait pas divinement, j'aurais déjà mis cet idiot dehors.

— Eh bien, fais-le, dit-il en riant, croyant à une plaisanterie. Comme ça, le dimanche, je pourrai tailler les rosiers !

— En manches de chemise, avec un litre de rouge calé sur le perron, c'est ça ? Pour que nos voisins admirent ta démagogie ?

— Mais... mais, dit Lucas, stupéfait, mais qu'est-ce qu'il te prend ?...

Un peu plus tard, elle s'énerva, elle pleura, s'avoua nerveuse et triste, et ils se réconcilièrent sur l'oreiller. Mais le glas avait sonné aux oreilles de Lucas. Il avait compris. Il tenait la réponse à toutes ses questions : Laurence était snob.

Quelques mois plus tard, Lucas rentrait chez lui à la nuit, car on était en novembre. La maison était sombre, à part la fenêtre de la cuisine, mais Lucas sifflotait. Il devait vendre cette maison qui était trop grande pour un homme seul, encore que ce mot de « seul » fût devenu synonyme de « délices », après des mois d'exaspération mutuelle. Ah ! son nom devait siffler bien bas, avenue Foch !...

L'hurluberlu du jardin était là, comme tous les mardi, jeudi et samedi. Il remuait la terre sans effort. Il semblait avoir rajeuni, lui aussi, depuis le départ de Laurence.

— Le voilà qui rentre, dit-il à Lucas. Ah ça ! il va pas être content... J'ai voulu enlever ses bégonias à elle, qu'il n'aimait pas, et j'ai arraché les plants du pommier japonais... Va falloir en racheter deux des pommiers neufs, mais c'est pas à lui de les payer...

— Ça ne fait rien, dit Lucas. Il les paiera quand même.

— Quand même... je pensais... je me disais, il va être furieux... Ça coûte cher, les pommiers japonais ! Tout l'après-midi, je me suis dit : « Qu'est-ce qu'il va me dire ?... »

Il suivait Lucas vers le perron. Il criait : « Marthe ! C'est lui ! » avec chaleur.

La maison sentait le poulet frit et le cigare. Lucas avait fait un drôle de poker, hier soir, avec ses copains...

— Alors, c'est sûr qu'il ne va pas m'en vouloir ?..., insistait le jardinier Philibert.

— C'est simple, dit Lucas fermement. S'il vous dit quoi que ce soit, parlez-m'en ; et moi, je le fous à la porte.

Et, se retournant vers l'homme hagard, il ajouta :

— C'est vrai ça, non ?... Faut pas qu'ils nous cassent les pieds, elles et eux, hein ?..., avant de rentrer dans sa grande, silencieuse et exquise maison, riant tout seul.

Table

Françoise Sagan dans Le Livre de Poche

Bonjour New York et autres textes n° 31347

New York, Capri, Naples, Venise, Cuba, Jérusalem… autant de destinations d'écrivains, de milliardaires, d'assoiffés de vie et d'imprévus. De ces villes mythiques, Françoise Sagan rapporte des tableaux saisissants.

Le Chien couchant n° 32669

À Cardin, petite ville du Nord, Gueret emprunte chaque soir le même chemin pour rentrer de l'usine et, chaque soir, c'est le même chien qui l'accompagne jusqu'à sa pension. Ce chien serait son unique compagnon s'il n'y avait Nicole, jeune ouvrière qui rêve de mariage.

Des bleus à l'âme n° 31950

Sébastien et Éléonore, frère et sœur, la quarantaine proche, se retrouvent à Paris, dans un meublé de hasard, désargentés et disponibles. Presque aussitôt se pressent autour d'eux Nora, une Américaine aussi riche que mûre, Bruno, jeune premier du cinéma français, Robert, un célèbre impresario…

Des yeux de soie n° 31967

Comment quitte-t-on quelqu'un ? Et pourquoi ? Dix-neuf nouvelles froides et cinglantes, dix-neuf petites histoires qui nous plongent au cœur des ruptures. Grâce à la légèreté de ton de l'auteur, on se surprend à sourire impitoyablement face aux déboires des personnages.

La Femme fardée n° 32574

Parmi les passagers du *Narcissus*, Éric Lethuillier, directeur de rédaction, et sa timide épouse Clarisse, qui tente en vain de se cacher derrière un maquillage outrancier. Elle est « la femme fardée » qui intrigue autant qu'elle émeut.

Le Lit défait n° 32298

Lorsque Béatrice, actrice de boulevard, a quitté Edouard cinq ans plus tôt, elle l'a vite remplacé. Devenu auteur à succès, il est toujours aussi fou d'elle. Béatrice retombe dans ses bras, sans grande conviction. Et puis, un jour, elle comprend qu'elle aime, pour la première fois.

La Petite Robe noire et autres textes n° 31501

Une robe n'a de sens que si un homme a envie de vous l'enlever, je dis bien l'enlever, pas l'arracher en hurlant d'horreur. Les hommes se souviennent des robes, mais leur mémoire est sélective.

Théâtre n° 32472

Trois pièces de théâtre, dont la première est inédite. *L'Excès contraire* est une pièce de boulevard, drôle et enlevée. *Un piano dans l'herbe*, c'est l'univers de Sagan qui nous est familier. *Il fait beau jour et nuit* est la pièce la plus grave des trois. Une jeune femme vient de sortir de l'asile…

Toxique n° 31934

Françoise Sagan raconte sa désintoxication. Elle décrit sa souffrance et son angoisse de la déchéance. Elle s'observe, s'ausculte, nous fait partager ses pensées, ses lectures et sa peur immense de la mort et de la solitude. Texte illustré par des dessins de Bernard Buffet.

Un orage immobile n° 32356

1832, Flora, fille d'émigrés, élevée en Angleterre, arrive à Jarnac pour y rouvrir Margelasse, le château familial. Personne ne l'a encore aperçue dans la région quand Me Nicolas Lomont, trente ans, notaire, se rend à Margelasse. Un récit, plein de bruit, de passion et de fureur, rapporté par Nicolas, trente ans plus tard.

Un peu de soleil dans l'eau froide n° 32145

Gilles, journaliste, décide de quitter Paris pour se reposer dans le Limousin. Là-bas, il rencontre Nathalie Sylvener, une femme mariée qui tombe amoureuse de lui. Elle emménage à Paris dans son petit appartement. Mais Gilles se rend compte que cette existence trop exclusive l'ennuie.

Un profil perdu n° 32236

Alan s'est révélé d'une jalousie mortelle, et Josée, sa femme, ne peut plus le supporter. Pour la dernière fois, ils se rendent ensemble à un dîner. Josée y rencontre Julius A. Cram, un milliardaire respecté et craint de tous, qui se prend d'affection pour elle et décide de l'aider à s'échapper de ce mariage raté.

Du même auteur :

Bonjour tristesse,
roman, Julliard, 1954, prix des Critiques.

Un certain sourire,
roman, Julliard, 1956.

Dans un mois, dans un an,
roman, Julliard, 1957.

Aimez-vous Brahms ?,
roman, Julliard, 1959.

Château en Suède,
théâtre, Julliard, 1960.

Les Violons parfois,
théâtre, Julliard, 1961.

Les Merveilleux Nuages,
roman, Julliard, 1961.

La Robe mauve de Valentine,
théâtre, Julliard, 1963.

Toxique,
journal, illustrations de Bernard Buffet,
Julliard, 1964 ; Stock, 2009.

Bonheur, impair et passe,
théâtre, Julliard, 1964.

La Chamade,
roman, Julliard, 1965.

Le Cheval évanoui,
théâtre, Julliard, 1966.

L'Écharde,
théâtre, Julliard, 1966.

Le Garde du cœur,
roman, Julliard, 1968.

Un peu de soleil dans l'eau froide,
roman, Flammarion, 1969 ; Stock, 2010.

Un piano dans l'herbe,
théâtre, Flammarion, 1970 ; Stock, 2010.

Des bleus à l'âme,
roman, Flammarion, 1972 ; Stock, 2009.

Un profil perdu,
roman, Flammarion, 1974 ; Stock, 2010.

Réponses,
entretiens, Pauvert, 1975.

Des yeux de soie,
nouvelles, Flammarion, 1975 ; Stock, 2009.

Brigitte Bardot,
racontée par Françoise Sagan,
vue par Ghislain Dussart,
Flammarion, 1975.

Le Lit défait,
roman, Flammarion, 1977 ; Stock, 2010.

Le Sang doré des Borgia,
en collaboration avec Jacques Quoirez
et Étienne de Montpezat,
scénario, Flammarion, 1978.

Il fait beau jour et nuit,
théâtre, Flammarion, 1979 ; Stock, 2010.

Le Chien couchant,
roman, Flammarion, 1980 ; Stock, 2011.

Musiques de scènes,
nouvelles, Flammarion, 1981.

La Femme fardée,
roman, Pauvert et Ramsay, 1981 ; Stock, 2011.

Un orage immobile,
roman, Julliard, 1983 ; Stock, 2010.

Avec mon meilleur souvenir,
roman, Gallimard, 1984.

La Maison de Raquel Vega,
fiction d'après le tableau de Fernando Botero,
La Différence, 1985.

De guerre lasse,
roman, Gallimard, 1985.

Sarah Bernhardt, le rire incassable,
fiction, Robert Laffont, 1987.

Un sang d'aquarelle,
roman, Gallimard, 1987.

La Sentinelle de Paris,
Robert Laffont, 1988.

Au marbre : chroniques retrouvées 1952-1962,
La Désinvolture, 1988.

La Laisse,
roman, Julliard, 1989.

Les Faux-Fuyants,
roman, Julliard, 1991.

Répliques,
entretiens, Quai Voltaire, 1992.

Et toute ma sympathie,
roman, Julliard, 1993.

Œuvres,
Robert Laffont, coll. « Bouquins », 1993.

Un chagrin de passage,
roman, Plon, 1994.

Le Miroir égaré,
roman, Plon, 1996.

Derrière l'épaule,
roman, Plon, 1998.

Bonjour New York,
entretiens, L'Herne, 2007.

Un certain regard,
rassemble Réponses *et* Répliques, *L'Herne, 2008.*

Maisons louées,
L'Herne, 2008.

De très bons livres,
L'Herne, 2008.

Le Régal des chacals,
L'Herne, 2008.

Au cinéma,
L'Herne, 2008.

La Petite Robe noire,
L'Herne, 2008.

Lettre de Suisse,
L'Herne, 2008.

Album Sagan,
L'Herne, 2008.

Théâtre,
inédit, Stock, 2010.

La Fourmi et la Cigale,
inédit, illustrations de J.-B. Drouot, Stock, 2010.

Composition réalisée par NORD COMPO

Achevé d'imprimer en novembre 2012 en France par
CPI BRODARD ET TAUPIN
La Flèche (Sarthe)
N° d'impression : 70736
Dépôt légal 1re publication : novembre 2012
LIBRAIRIE GÉNÉRALE FRANÇAISE
31, rue de Fleurus – 75278 Paris Cedex 06

31/5684/1